指导委员会

张征宇　李　华　田　亮　张　瑞

工作委员会

马飒飒　张　磊　张　瑞　韩　宁

序

众所周知，我们正在进入一个全面科技创新的时代。科技创新驱动并引领着人类社会的发展，从人工智能、自动驾驶、5G，到精准医疗、机器人等，所有这些领域的突破都离不开科技的创新，也离不开计算的创新。从 CPU、GPU，到 FPGA、ASIC，再到未来的神经拟态计算、量子计算等，英特尔正在全面布局未来的端到端计算创新，以充分释放数据的价值。中国拥有巨大的市场和引领全球创新的需求，其产业生态的全面性及企业创新的实力、活力和速度都令人瞩目。英特尔始终放眼长远，以丰富的生态经验和广阔的全球视野，持续推动与中国产业生态的合作共赢。以此为前提，英特尔在 2018 年建立了英特尔® FPGA 中国创新中心，与 Dell、海云捷迅等合作伙伴携手共建 AI 和 FPGA 生态，并通过组织智能大赛、产学研对接及培训认证等方式，发掘优秀团队，培养专业人才，孵化应用创新，加速智能产业在中国的发展。

该系列丛书是英特尔® FPGA 中国创新中心专为 AI 和 FPGA 领域的人才培养和认证而设计编撰的系列丛书，非常高兴作为英特尔® FPGA 中国创新中心总经理为丛书写序。同时也希望该系列丛书能为中国 AI 和 FPGA 相关产业的生态建设和人才培养添砖加瓦！

英特尔® FPGA 中国创新中心　总经理　张 瑞

2019 年秋

张 瑞

张瑞先生现任英特尔® FPGA 中国创新中心总经理，总体负责中国区芯片对外合作，以及自动驾驶和 FPGA 等领域的生态建设。同时也兼任（中国）汽车电子产业联盟副理事长和副秘书长的职务，致力于推动包括 5G、机器视觉、传感器融合和自主决策等多项关键自动驾驶相关技术在中国的落地和合作。

张瑞先生拥有多年世界领先半导体公司的从业经历。在加入英特尔之前，曾在瑞萨电子和飞思卡尔半导体担任多个关键技术和管理职务。

张瑞先生曾于 2008 年编写并出版过科学技术类图书《深入浅出 ColdFire 系列 32 位嵌入式微处理器》一书。

FOREWORD

前言

人工智能（Artificial Intelligence，AI）是计算机科学的一个分支，它是一门多领域交叉学科，用于研究、开发模拟、延伸和扩展人的智能的理论、方法、技术及应用系统，涉及计算机科学、信息论、控制论、自动化、仿生学、生物学、心理学、数理逻辑、语言学、医学和哲学等多门学科。人工智能可以对人的意识、思维的信息过程进行模拟，使机器能够胜任一些通常需要人类智能才能完成的复杂工作。另一方面，作为目前流行的人工智能编程语言，Python 的设计风格清晰划一，具有简单易学、免费开源、可移植性、可扩展性、可嵌入性、面向对象、丰富的库等优点，使专业和非专业人员都可以利用 Python 结合封装好的人工智能算法解决其专业问题。

本书由河北工业大学人工智能与数据科学学院的教师结合多年教学经验和人工智能教育的发展需要编著而成的，可作为高校理工科学生学习人工智能技术课程的入门教材。本书从基础出发，通过对人工智能技术的数学基础、编程基础和控制基础进行介绍，讲解人工智能所需的基本技术，向读者直观展示了解决人工智能问题的详细步骤，以及利用 Python 程序设计语言快速解决人工智能问题的具体过程，力争使读者在有限时间内快速掌握多种适合解决人工智能问题的方法。我们也提供了演示实验或具体示例来展示一些人工智能技术的理论分析和推导过程，使对人工智能技术有兴趣的读者能够对相关知识有一个初步认识和掌握，为读者后续更深层次的学习打下一个良好的基础。

在基于本书学习人工智能技术的相关知识时，建议读者一定要多动脑思考、多动手实践。当学习数学基础时，可以查阅相关书籍对相关知识进行深入学习。当学习案例代码时，可以配合上机学习，在梳理代码的同时进行适当理解，在计算机上对程序实现复现。当学习演示实验时，可以认真分析每一个案例，认真思考实际问题的具体解决步骤，结合书本知识总结利用人工智能技术解决实际问题的方法和流程。只有这样，才能真正做到熟练运用人工智能技术解决实际的应用问题。

本书的特色包括：（1）在讲解相关知识的同时，配合实际应用案例，使读者在具体应用中快速掌握人工智能技术的实现方法。（2）强调入门性，本书给出了必要的人工智能技术学习基础和相关示例，既适合人工智能相关专业人员作为机器学习的入门教材，也适合对“解决人工智能问题”有兴趣的非相关专业人员阅读。（3）章节内容的编排由浅入深，同时致力于利用简单、易懂的案例代码演示理论性强或较难理解的内容，方便读者根据实际需求进行学习。

本书共 8 章，下面简单介绍各部分内容。

第 1 章，绪论部分，首先给出了人工智能的基本概念及其发展史。然后对人工智能技术的研究目标和内容进行简要介绍。接着，讲解了人工智能技术的研究进展及其研究领域。最后，结合实际生活给出了人工智能的应用场景，使读者快速了解利用人工智能技术解决实际问题的基本方法，并对人工智能形成系统的宏观认识。

第 2 章，主要介绍了人工智能技术所需的数学基础和编程基础。本章介绍的数学基础部分分为矩阵论、应用统计、数值分析及经典变换四个部分。矩阵论部分系统介绍了矩阵的基本理论、方法及其应用，重点介绍了线性空间与线性变换及范数理论部分；应用统计部分系统阐述了应用统计的相关理论和操作知识，内容包括参数估计、假设检验、回归分析与方差分析；数值分析部分内容包括插值与数值逼近，数值积分与数值微分，解线性方程的直接方法与迭代法；经典变换部分列举了包括快速傅里叶变换、图像变换在内的人工智能技术中常用的变换方法。本章最后一节简要介绍了人工智能技术的编程工具——Python，包括对编程基础和相关工具包的介绍，使读者初步了解 Python 的语言特点及编写方法。

第 3 章，从通信技术的角度对人工智能进行介绍，主要包括人工智能在通信领域面临的挑战、应用并重点介绍了自然语言处理中的语音识别技术，从发展、分类、核心技术、识别方法、应用等方面进行了较为宏观全面的讲解。

第 4 章，介绍了智能控制的概念、产生与发展，重点针对经典的智能控制理论进行了原理、核心内容的简单概述，最后结合人工智能在智能控制领域的应用示例，展示了智能控制较传统控制的优势及应用前景。

第 5 章，给出了 4 个综合案例。首先是基于深度神经网络的图像分类案例，利用 OpenCV 工具库，结合其自带的 Caffe 框架和 DNN 网络实现对图像的分类应用；其次是基于深度学习的个性化推荐案例，利用 OpenCV 工具库，结合其自带的 TensorFlow 框架和卷积神经网络，基于 MovieLens 数据集完成电影推荐的任务；然后是基于卷积神经网络的文本分类案例，按照数据处理、卷积、池化、全联接和分类四个步骤对文本进行分类；最后是基于深度学习的视频行为识别案例，利用 OpenCV 工具库，结合其自带的

PyTorch 框架和用于视频识别的 C3D 卷积神经网络模型，基于 UCF101 数据集完成视频行为识别的任务。本章通过案例的讲解介绍了深度学习的几个重要的基本概念。

第 6 章，首先介绍了智能机器人的研究进展、发展趋势及应用领域，其次对机器人体系结构和视觉系统进行了简单的讲解，然后重点解释了智能机器人的路径规划问题，从导航、定位、避障、路径规划四个方面将路径规划中的关键内容进行了详细说明，最后通过两个应用示例对机器人中运用的计算机视觉分析和路径规划问题进行了说明。

第 7 章，首先分析了人工智能已经或者可能带来的一些安全隐患、安全风险的特征，以及面对安全问题时的某些应对措施，然后讨论了人工智能课程或技术的教育理念及方式，最后以“换脸视频”为例说明了人工智能技术如何向着积极有力的方向发展。

第 8 章，首先对人工智能产业的发展进行了总结和分析，然后介绍了与人工智能相结合的创新创业项目，最后讨论了几个较为经典的人工智能创新创业案例，希望读者通过本章的学习开拓思路，做出更有价值的创新应用。

本书的分工如下：马飒飒负责第 2、3、7 章的编写，韩宁负责第 1、8 章的编写，张磊负责第 4、5 章的编写，张瑞负责第 6 章的编写，马飒飒负责全书统稿和定稿。

在本书的编写过程中，河北工业大学人工智能与数据科学学院 2017 级研究生赵策、刘根旺帮助收集整理了本书的案例，2018 级研究生李晴、母芳林、李诗月帮助收集整理了本书的内容，2019 级研究生蒋俏帮助完成了本书的统稿，电子工业出版社刘志红编辑给予了大力支持，在此表示真诚的感谢！

英特尔® FPGA 中国创新中心和北京海云捷迅科技有限公司为本书的编写提供了大量的支持和帮助，在此特别向他们表示衷心的感谢！

本书还参考了国内外人工智能方面的书籍及大量的网上资料，力求有所突破和创新，由于能力和水平所限，书中出现的不妥乃至错误之处，恳请读者指正。

作　者
2019 年 12 月于河北工业大学

CONTENTS

目录

第一章

绪论

“人工智能”，这个词在我们普通人看来是一个很高大上的词汇，因为我们总觉得，这代表了某种神秘的 IT 技术。对于大部分人来说，只能感受到人工智能带来的一些成果，而当需要我们能够比较深入、彻底地去研究它时，就会让人觉得这个领域是那么遥不可及。其实，当我们真正地去了解和探究它后就会发现，人工智能原来并不是那么神秘！技术本身是服务于生活的，能够贴近生活的技术，才是整个世界需要的！

1.1 人工智能概述

1.1.1 人工智能定义

人工智能（Artificial Intelligence，AI），这个词拆开来看就是“人工”和“智能”。分开理解对我们来说是没有任何难度的，但是当把它们组合在一起的时候，就是一个可以改变世界的技术了。探其本质，可以给它一个精简而又准确的定义——人工制作的系统所表现出的智能，也就是机器智能。当然，这里的智能其实就是像人一样的思维过程和智能行为。当然这是一个层面的理解，就人工智能的发展现状而言，也可以将其定义为研究这样的智能能否实现，以及如何实现的科学领域。

随着科技的高速发展，人造物品的性能常常优于天然的物品。例如人造草坪，利用仿生学的原理模拟天然草坪，使运动者的脚感及足球的反弹速度都和实际情况相似，同时又比天然草坪有着更好的排水性能，更长的使用寿命，更低的维护费用。再比如 20 世纪 50 年代研制成功的人造血管，经过不断地改进逐渐地被应用在较大的血管手术中。目前用于制造人造血管的原料一般有涤纶、聚四氟乙烯等。人造血管物理和化学性能稳定，在做搭桥手术时易缝性好，与人体的相容性好，可以达到令人满意的远期通畅率。人造血管技术的不断优化将推动大型人体器官的制造，这会使将来的人类医学研究更具创新性。

人工智能不是自然的，而是人造的。要确定人工智能的优点和缺点，必须首先理解和定义“智能”。智能是什么？智能的定义可能比人工的定义更难以捉摸。

斯腾伯格（R. Sternberg）就人类意识这个主题给出了以下定义：“智能是个人从经验中学习、理性思考、记忆重要信息，以及应付日常生活需求的认知能力。”这个定义可以用简单的标准化测试为例进行理解。

给定一个数组：1，2，4，7，11，16…。通过观察不难得出下一个数字是 22，规律是每两个连续数字之差为 1，2，3，4…的等差数列。其实对这个问题的解答过程实现的就是简单的智能，需要通过经验分析来发现规律和模式，并且发现提取模式中的特征。那么如何判断人或动物是否具有智能的属性？如果有智能，又该如何评估智能的等级？

大多数人可以很容易地回答出第一个问题，我们可以通过与其他人交流（如做出评论或提出问题）来观察他们的反应，每天多次重复这一过程，以此评估他们的智力。虽然没有直接进入他们的思想，但是相信通过问答这种间接的方式，可以对内部大脑活动做出较为准确的评估。

如果坚持使用问答的方式来评估智力，那么如何评估动物智力呢？观察一下，小狗似乎记得一两个月没见到过的人，并且可以在迷路后找到回家的路；小猫在晚餐时间听到开罐头的声音时常常表现得很兴奋。动物们出现的这些反应只是简单的巴甫洛夫反射，还是它们有意识地将经验与结果预测联系起来了？再来看一则有趣的轶事：大约在 1900 年，德国柏林有一匹据说精通数学的马，它可以做加法或计算平方根，人称“聪明的汉斯（Clever Hans）”（见图 1-1）。然而有人观察发现，汉斯计算的成功率与观众的数量相关，如果没有观众在场，它的表现就不会很出色。事实上，汉斯的“智能”在于它能识别人类的情感，而非对数学的精通。研究人员猜测，因为马一般都具有敏锐的听觉，当汉斯接近正确的答案时，观众们都变得相对兴奋、心跳加速，汉斯也许有一种出奇的能力，它能够检测出这些微小的变化，从而得出正确的答案。

图 1-1 聪明的汉斯

有些生物智能的体现具有群体性特点，而这种集体智慧的实现根源于个体之间的有效沟通。举个例子来说，蜜蜂是一种具有超强生存智慧的的昆虫，单只蜜蜂行为并不属于人工智能的范畴，但是蜂群往往会利用群体的智慧解决复杂的问题。为了在寒冷的天气下生存，蜜蜂们在蜂巢内相互靠近，形成球形结构，随着温度的逐渐降低，结团越来越紧，蜜蜂还会轮换自己的位置，蜂球表面的蜜蜂向球心钻，球心的蜜蜂则向外移，使每个同伴都可以安全越冬。

人类大脑的质量及大脑与身体的质量比通常被视为动物智能的指标。有研究发现，海豚在这两个指标上都与人类相当，在动物自我意识测试——镜子测试中，海豚得到了很好的分数，它们可以认识到镜子中的图像实际上是它们自己的形象；海豚可以完成复杂的游戏，这说明海豚具有记忆序列和执行复杂身体运动的能力。

使用工具是智能的另一个“试金石”，这一特征常常用于将直立人与人类祖先进行区分。倭黑猩猩和人一样，都具备使用工具的特质，他们甚至还会制造工具。科学家发现，倭黑猩猩会主动将树枝的前端削尖，或者用大石块敲碎小石块找到尖锐的部分用来抵御敌人的攻击。由此可见，智能不是人类独有的特性。

人工智能希望创建可以与人类思维相类似的能够表现出与人类智能相关特征的计算机软件和（或）硬件系统。其中，一个关键的问题就是——机器能思考吗？许多人对待这个问题时怀有偏见，有人说：“计算机只是由硬件系统和软件系统组成的用于高速计算的机器，并不具备思考的能力。”但还有人认为：“在不久的未来，计算机可以赶上甚至超过人类的智慧。”真相可能就存在于两种极端情况之间。思考是推理、分析、评估和形成思想和概念的工具，并不是所有能够思考的物体都有智能。不同的动物物种具有不同程度的智能，同样的人工智能领域开发的软件和硬件系统也具有不同程度的智能。

◎ 定义 1.1　智能（Intelligence）

人的智能是他们理解和学习事务的能力。也就是说，智能是思考和理解的能力，而不是本能的做事能力。

◎ 定义 1.2　智能机器（Intelligent Machine）

智能机器可以呈现人类的智能行为。而这种智能行为表现为人类通过大脑思考解决问题进而创造新的想法。

◎ 定义 1.3　人工智能

斯坦福大学尼尔逊（Nilsson）提出：人工智能是关于知识的科学（知识的表示、知识的获取及知识的运用）。

◎ 定义 1.4　人工智能学科

人工智能研究者们认为：人工智能学科是计算机科学中的一个分支领域，它主要涉及的是研究、设计和应用智能机器等方面的内容。近期主要致力于研究如何利用机器来模仿和执行类似于人脑的某些智力功能，并在研究的基础上进行相关理论和技术的开发。

而人工智能和智能系统研究者们认为：人工智能学科是智能科学中涉及研究、设计和应用智能机器和智能系统的一个分支。而智能科学是一门与计算机科学并行的学科。

◎ **定义 1.5　人工智能能力**

人工智能能力可以看作智能机器执行与人类智能相关的智能行为的技术。

1.1.2　人工智能发展史

“人工智能”一词最初在 1956 年美国的达特茅斯（Dartmouth）大学举办的一场长达两个月的研讨会中被提出，从那以后，人工智能作为新鲜事物开始进入人们的视野中，研究人员不断探索发展了众多相关的理论和技术，人工智能的概念也随之扩展。在任何领域，都是“万事开头难”，当出现了第一个引路人后，后面的发展就会是不可估量的，人工智能也是如此。会议与会专家在当时怎么也不会想到，当时所提出的“人工智能”会在今天得到如此蓬勃的发展。我们一起站在巨人的肩膀来回顾几十年来人工智能的发展。

1. 20 世纪 50 年代，人工智能的兴起和冷落

在首次提出人工智能的概念之后，一些重要的理论结果也层出不穷。但是，由于消化方法的推理能力有限，机器翻译技术也不够成熟，在两者的共同作用下导致了最终的失败。人工智能技术逐渐进入了它的瓶颈期。思考这一阶段的发展可以发现，人工智能的冷落源于人们对问题求解方法的迫切关注，而忽略了知识本身的重要性。做任何事情一定要有良好的理论基础，否则就会形成“基础不牢，地动山摇”的被动局面。

2. 20 世纪 60 年代末—70 年代，专家系统带来的新高潮

1968 年，美国斯坦福大学研制成功了一种帮助化学家判断某待定物质分子结构的专家系统——DENDRAL 系统。1976 年，斯坦福大学的研究人员耗时五六年开发了一种使用了人工智能的早期模拟决策系统，用来进行严重感染时的感染菌诊断，以及抗生素给药的推荐系统——MYCIN 系统。从那时起，还开发了许多著名的专家系统，如 PROSPECTIOR 探矿系统、Hearsay-II 语音理解系统等。后续的研究和开发专家系统使人工智能得以实际应用。值得一提的是，为了更好地发展人工智能，在各国科学家们的号召下于 1969 年召开了国际人工智能联合会议，这也标志着人工智能新高潮的出现。

3. 80 年代，神经网络的快速发展

1982 年，日本开始实施“第五代计算机发展计划”，计划的实施将逻辑推理的速度提升到与数值运算相同。尽管该计划没有达到满意的效果，但它的发展引来了一股热情，使得越来越多的专家学者将目光转向人工智能的研究上。1987 年，在美国举行的神经网络的第一次国际会议，宣布建立一个新的学科 ——“神经网络”。从那时起，世界上许多国家都逐步加大了对神经网络的投资，给神经网络的迅猛发展带来了前所未有的机遇。

4. 90 年代，人工智能的网络化发展

由于以互联网技术为核心的网络技术的飞速发展，人工智能的研究内容也发生了巨大的变化。以单个智能实体为起点，逐步成为基于网络环境的分布式人工智能。巨大的转变为基于同一目标的分布式问题的探索提供了更有效的求解方法，还扩展到对多个智能主体的多目标问题的求解方法，使人工智能技术朝着实践的方向上不断发展。除此之外，Hopfield 多层神经网络模型为人工神经网络研究与应用提供了更多的可能，人工智

能技术逐步走进人们的生产生活中，带来了更加便捷高效的生活方式。

5. 21 世纪以来，人工智能的技术腾飞

随着社会的发展和科技的进步，人工智能技术已经日趋完善。同时，这项技术也已在诸多领域得到应用和拓展，如智能控制领域、机器人学领域、语言和图像理解领域、遗传编程领域、法学信息系统，以及智能接口领域、数据挖掘领域、主体及多主体系统领域等。随着人工智能与生活的完美融合，人工智能技术的前景会愈发光明。

1.2 人工智能研究的目标及内容

1.2.1 人工智能的研究目标

作为工程技术学科，人工智能的研究目标是提出建造人工智能系统的新技术、新方法和新理论，并在此基础上研制出具有智能行为的计算机系统。现有的计算机不仅可以对数值信息进行一般的数值计算和数据处理，还可以利用知识解决问题，模拟人的一些功能行为。作为理论研究学科，人工智能的研究目标是提出能够描述和解释智能行为的概念与理论，为建立人工智能系统提供理论依据。

其实，对人工智能的研究，最终需要的是将这门技术依托于某种载体来实现，并为生活带来实际的良好体验，拓展出无限的可能，逐渐改变人类的生活方式。通俗地说，就是一方面能够更好地理解人类智能，通过编写程序来模仿和检验有关人类智能的理论；另一方面，创造有用灵巧的程序，该程序能够执行一般需要人类专家才能实现的任务。

1.2.2 人工智能的研究内容

人工智能理论在不断深入研究中得到了发展，向着更为宽广的应用领域迈进，也获得了更重要的应用结果。从应用的角度看，人工智能的研究主要集中在以下几个方面。

1. 专家系统

专家系统具有丰富的专业知识和经验。基于人工智能技术，通过一个或多个人类专家在某一个领域提供的知识和经验用于推理和判断，并采用类似于人类专家的决策过程，以解决那些需要专家决定的复杂问题。专家系统通常需要利用已知的现有算法来解决问题，但有些问题无法解决，因为给出的信息通常是不完全、不精确，甚至是不确定的。它可以解决一些问题，如一般性的解释、预测、诊断、设计、规划、监测、修复、指导和控制。从架构上看，专家系统可分为集中专家系统、分布式专家系统、协同专家系统、神经网络专家系统等，从实现方法上可以分为基于规则的专家系统、基于模型的专家系统、基于框架的专家系统等。

2. 自然语言理解

自然语言理解就是研究如何在人与计算机之间利用自然语言建立起有效的通信。由于目前计算机系统与人类之间的交互还只能使用严格限制的各种非自然语言，因此，解决计算机系统能够理解自然语言的问题一直是人工智能领域的重要研究课题之一。

实现人与计算机之间的自然语言沟通，是指计算机系统可以理解自然语言文本及自然语言文本的含义，还能够理解人类想要表达的特定意图和想法。如何正确理解并准确表达语言是一个极其复杂的解码和编码过程。能够做到理解口语和书面语言的计算机系统不但需要有一些代表语境知识的结构，还需要积累一些基于这些知识的推理技巧。

虽然在理解有限范围的自然语言对话和理解用自然语言表达的小段文章或故事方面

的程序系统已有一定的进展，但要实现功能较强的理解系统仍十分困难。从目前的理论和技术现状看，自然语言理解系统主要应用于机器翻译、自动文摘、全文检索等方面，而通用的和高质量的自然语言处理系统，仍然是较长期的努力目标。

3. 机器学习

学习是人类智能的主要标志和获得知识的基本手段，也是可以知识获取的具有特定目的的过程。在内部性能的不断建立和修改的同时，外部性能也在不断提高。机器学习是指自动获取新事实和新推理算法的过程，这是使计算机智能化的基本方法，也是人工智能的一个核心研究领域，有助于发现人类学习的机理和揭示人脑的奥秘。

机器学习主要研究如何赋予机器自身获取知识的能力，使机器能够学会如何总结经验、纠正错误、发现模式、提高性能，并对环境有更强的适应性。就目前的研究来讲，机器学习通常可以解决以下问题。

（1）选择训练经验。比如，如何选择训练类型、选择训练样本、设计样本训练序列。

（2）选择目标函数。几乎所有机器学习问题都可以简化为学习特定目标函数的问题。由此可知，正确学习、设计和选择目标函数在机器学习领域是至关重要的。

（3）选择目标函数的表示。在面对特定应用问题的时候，首先要做的是确定理想目标函数，下一个任务则是从许多乃至无穷多个选择中找到最佳或近乎最佳的表示。目前，对机器学习的研究才刚刚起步，但这是一个值得投入很大精力去研究的方面。只有机器学习研究的进步才能使人工智能和知识工程研究方向获得突破性的发展。

4. 自动定理证明

自动定理证明，又叫机器定理证明。它是数学和计算机科学相结合的研究课题。人类思维中演绎推理能力可以在数学定理的证明过程中得到淋漓尽致的体现。演绎推理实质上是符号运算，因此，原则上可以用机械化的方法来进行。1965 年，罗宾逊提出了一阶谓词演算，这是自动定理证明的具有重大突破性进展的分辨率原则。1976 年，美国 Appel 和其他人使用的高速计算机证明了 124 年来都没有得到解决的“四色问题”，这表明利用电子计算机有可能把人类思维领域中的演绎推理能力推进到前所未有的境界。1976 年年底，中国数学家吴文俊开始对可判定问题进行初步探究。他成功地设计了一个决策算法和相应的程序，有效地解决了初等几何和初等微分几何中的某一大类问题，其研究处于国际领先地位。后来，我国数学家张景中等人进一步推导出“可读性证明”的机器证明方法，再一次轰动了国际学术界。

自动定理证明有着更深刻的理论价值，其应用范围也并不仅仅局限于数学领域，许多日常生活中非数学领域的任务，都可以经过一定的转化从而变成相应的定理证明问题，或者与定理证明相关的问题，所以自动定理证明的研究具有普适性的意义。

5. 自动程序设计

自动编程是能够根据给定问题的原始描述自动生成满足要求的程序。它是软件工程和人工智能相结合的研究课题。自动编程主要包括程序综合和程序验证两个方面。前者实现自动编程，即用户只需要告诉机器“做什么”，而不需要告诉“怎么做”，后一步由机器自动完成。自动验证，也就是说，机器可以自主完成对正确性的检查。程序合成的基本方法是主要程序转换，即通过一步一步地将输入条件变换为输出，以形成所需要的程序。程序验证是使用经过验证的程序系统来自动证明给定程序的正确性。判断程序正确性有三种标准，即终止性、部分正确性和完全正确性。

目前在自动程序设计方面已取得一些初步的进展，尤其是程序变换技术已引起计算机科学工作者的重视。现在国外已陆续出现一些实验性的程序变换系统。

6. 分布式人工智能

分布式人工智能结合了分布式计算和人工智能的特点。它提供了一种有效的方法来协调逻辑上或物理上分散的智能操作，解决单目标和多目标问题，以及设计和构建大规模复杂的智能系统或计算机以支持协同工作。它所能解决的问题需要整体互动所产生的整体智能来解决。分布式人工智能主要研究内容有分布式问题求解（Distribution Problem Solving，DPS）和多智能体系统（Multi-Agent System，MAS）。

7. 机器人学

机器人学是机械结构学、传感技术和人工智能结合的产物。1948 年，美国研制成功第一代遥控机械手，17 年后第一台工业机器人诞生，此后相关的研究不断取得新的成果。机器人的发展经历了以下几个阶段：第一代为程序控制机器人，它通过反复的学习然后进行再现的方式，把人类从事笨重、繁杂与重复的劳动中逐步解放出来；第二代为自适应机器人，它可以通过自身的感觉传感器来获取作业环境的简单信息，还具有一定的环境适应能力，能够识别出操作对象的微小变化；第三代为分布式协同机器人，它的传感器具有视觉、听觉、触觉等多种功能，在多个方向平台上都能够感知到多维信息，它具有较高的灵敏度，能够精确感知到周围的环境信息，并进行实时分析，控制自己的多种行为，在自主学习、自主决策和自主判断的基础上处理环境中的变化，和其他机器人沟通交流。

从功能的角度来看，机器人技术的研究主要涉及两个方面：一是模式识别，即机器人配备可以识别空间场景的实体和阴影的视觉和触觉，甚至可以区分它们之间的细微差别；另一方面，机器人的运动协调推理可以看作在受到外部刺激后，机器人被驱动的过程。

机器人技术和人工智能之间相互促进，它可以建立一个世界国家模型，以进一步描述世界各国的变化过程。

8. 模式识别

模式识别重要的研究内容是计算机的模式识别系统，它是信息科学人工智能的重要组成部分，使用计算机代替人类或帮助人类处理复杂的信息。我们通常把环境与客体成为“模式”，并利用物理、化学或生物的测量方法进行特定的采集和测量。模式所代表的不仅仅是事物本身，更重要的是通过一系列的信息处理过程从事物中获取信息，一般表现为具有时间和空间分布的信息。人类在观察、认识事物和现象时，常常对各种信息进行处理、分类和理解，而模式识别技术就是要模仿人脑的这种思维能力。

模式识别不断发展，一些具体应用遍及遥感、生物医学成像、工业产品的无损检测、指纹鉴定、文字和语音识别等领域。模式识别在气象领域也有着重要的应用，卫星云图在灾害性天气中起到重要的作用，如何从运途中提取有用的信息，惊云系结构和天气系统联系起来，对天气进行预测。语音识别技术是应用比较广泛的一种模式识别技术，特别是中小词汇量非特定语音识别系统精度已经高达 98%，还可以对语种、乐种和方言来检索相关的语音信息。模式识别作为一个新兴学科正在不断成长，其理论基础在不断发展，研究范畴也在不断扩大。

9. 博弈

计算机博弈主要是以搞对抗性的棋牌游戏为载体的研究。我们最早接触的计算机博弈就是跟电脑玩家下棋或者打牌，在 20 世纪 60 年代就出现了很有名的西洋跳棋和国际象棋程序。进入 20 世纪 90 年代，IBM 公司支持开发了后来被称为“深蓝”的国际象棋系统，并针对此系统开发了专用的芯片，以提高计算机的搜索速度。“深蓝”与国际象棋世界冠军卡斯帕罗夫的交锋给人类留下了深刻的印象。

搜索策略、机器学习等问题都以博弈问题为实际背景才能够进行更加深入的研究，在此过程中，发展起来的一些概念和方法也为人工智能的其他问题提供了更有利的价值。

10. 计算机视觉

视觉在制造业、检验、文档分析、医疗诊断和军事等众多领域中的智能系统中都起到至关重要的作用。计算机视觉涉及计算机科学与工程、信号处理、物理学、应用数学和统计学、神经生理学和认知科学等多个领域的知识，它不同于人工智能、图像处理和模式识别等相关学科，在逐步的研究中已成为一门独立而成熟的学科。让计算机能够像人一样观察和理解世界，并自主地适应环境的变化是计算机视觉研究的终极目标。计算机视觉参见图 1-2。

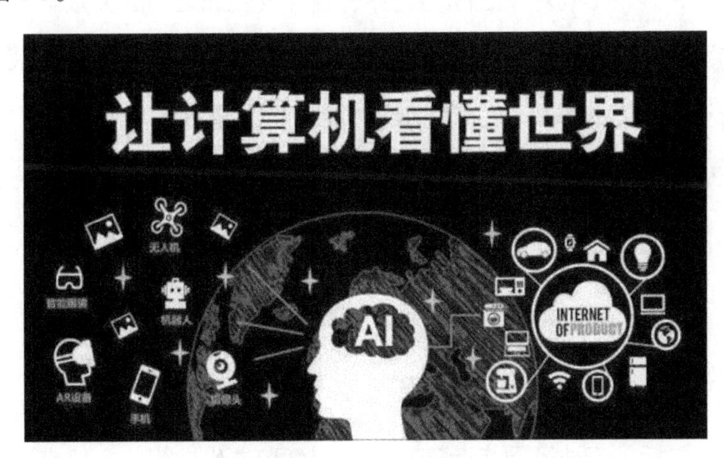

图 1-2　计算机视觉

计算机视觉是一门研究如何使计算机学会“看”世界的科学，也就是利用摄影机和电脑代替人眼对目标进行识别、跟踪、测量和处理，得到一个更容易识别的图像。这个研究领域成长迅速，已经衍生出一大批快速成长的实际应用，计算机视觉技术主要有以下 5 种。

（1）图像分类。这是一种基于数据驱动的图像分类方法，该算法并没有直接在低码中规定每个图像类别，而是为计算机提供示例，然后设计也学习算法，查看这些示例，并学习每个类别的视觉外观。

（2）对象检测。对象检测就是对图中感兴趣的目标进行定位，判断出目标的具体类别，并给出边框。

（3）目标跟踪。目标跟踪是指在特定场景下跟踪一个或多个对象的过程，与传统跟踪技术的监测和观察不同，现在的目标跟踪还被应用于无人驾驶领域。

（4）语义分割。计算机视觉可以将图像分成单独的像素组，然后对其进行标记和分类。特别地，语义分割试图在语义上理解图像中每个像素的角色。

（5）实例分割。区别于语义分割，实例分割将不同类型的示例继续分割，需要执行更加复杂的任务，确定不同对象之间的边界、差异及彼此之间的关系。

人类通过视觉感知外界的环境，机器也是如此，所以计算机视觉技术的发展对机器的智能化起着至关重要的作用。目前，计算机视觉已经在很多领域有着广泛的应用，例如，无人驾驶中的道路识别、路标识别、行人识别；人脸识别，无人安防；违章检测中的车辆车牌识别；智能识图；医学图像处理；工业产品检测等，都使我们的生产生活变得智能化、便捷化。

11. 软计算

软计算通常包括人工神经网络计算、模糊计算和进化计算。一般来说，软计算多应用于缺乏足够的先验知识，只有一大堆相关的数据和记录的问题求解方面。

人工神经网络（Artificial Neural Network，ANN）是一种应用类似于大脑神经突触连接的结构进行信息处理的数学模型。在这一模型中，大量的节点之间相互连接构成网络，即“神经网络”，以达到处理信息的目的。人工神经网络模型及其学习算法曾经想利用数学来描述人工神经网络的动力学过程，从而建立相应的模型，然后在该模型的基础上，对于给定的学习样本，找出一种能以较快的速度和较高的精度调整神经元间互连权值，使系统达到稳定状态，满足学习要求的算法。

模糊计算处理的是模糊集合和逻辑连接符，旨在描述现实世界中类似人类处理的推理问题。模糊集合包含论域中的所有元素，而这些元素需要具有[0,1]区间的可变隶属度值。模糊集合最初由美国加利福尼亚大学教授扎德（L.A.Zadeh）在系统理论中提出，后来又扩充并应用于专家系统中的近似计算。

进化计算是通过模拟自然界中生物进化机制进行搜索的一种算法，遗传算法（Genetic Algorithm，GA）是进化计算的典型代表。遗传算法是一种随机算法，它是模拟生物进化中“优胜劣汰”自然法则的进化过程而设计的算法。该算法模仿生物染色体中基因的选择、交叉和变异的自然进化过程，通过个体结构不断重组，形成一代代的新群体，最终收敛于近似优化解。

12. 智能控制

有科学家提出把人工智能技术引入智能控制领域，从而建立智能控制系统。1965 年，美籍华人科学家傅京孙首先提出在学习控制系统中应用人工智能的启发式推理规则。十多年后，实用智能控制系统的技术日趋成熟，使人工智能与自动控制的结合成为可能。1977 年，美国人萨里迪斯（G.N.Saridis）提出把人工智能、控制论和运筹学结合起来的思想。1986 年，我国的蔡自兴教授提出把人工智能、控制论、信息论和运筹学四者相结合。根据这些思想已经研究出很多智能控制的理论和技术，并且可以据此构造用于不同领域的智能控制系统。

智能控制具有两个显著的特点。

（1）智能控制同时具有知识表示的非数学广义世界模型和传统数学模型混合表示的

控制过程，并以知识进行推理，以启发来引导求解过程。

（2）智能控制的重点在于高层控制（组织级控制），组织实际环境或过程，对问题进行决策和规划，来求解广义问题。

13. 智能规划

智能规划也是人工智能研究领域的一个分支，近年来不断发展，逐渐成为人们研究的重点。智能规划主要是认识和分析周围环境，依照自己的目标，根据若干选择方向和所提供的资源限制施行合理推理，最终制定出能够满足要求的规划。建立起效率高、实用性强的智能规划系统是智能规划研究的主要目标。该系统的主要功能是：给定问题的状态描述、对状态描述进行变换的一组操作、初始状态和目标状态。

GPS 系统是最早的通用问题求解规划系统。1969 年，格林（G.Green）利用归结定理证明的方法来进行规划求解，并且设计了 QA3 系统，这个系统被大多数的智能规划研究人员认为是第一个规划系统。1971 年，美国斯坦福研究所的菲克斯（R.E.Fikes）和 Nilsson 设计的 STRIPS 系统在智能规划的研究中也具有里程碑式的意义和价值。他们的突出贡献是引入了 STRIPS 操作符的概念，使规划问题求解变得明朗清晰。此后到 1977 年先后出现了 HACKER、WARPLAN、INTERPLAN、ABSTRIPS、NOAH、NONLIN 等规划系统。尽管这些以 NOAH 系统为代表的部分排序规划技术被证明具有完备性，即能解决所有的经典规划问题，但由于大量实际规划问题并不遵从经典规划问题的假设，所以部分排序规划技术未得到广泛的应用。为消除规划理论和实际应用间存在的差距，20 世纪 80 年代中期，更多的科学家将研究的目光转向了开拓非经典的实际规划问题。然而，经典规划技术，尤其是部分排序规划技术仍是开发规划新技术的基础。

1.3 人工智能研究进展及领域

人工智能日渐发展，使得更多的人投入研究中，与多种学科的相互渗透使它成为了一门新兴学科，在许多领域有着广泛的应用。下面罗列出其中的一些典型技术应用。

1. 问题求解

人工智能的第一大成功应用就是下棋程序。1997 年 5 月，一台名为“深蓝”的计算机挑战国际象棋世界冠军卡斯帕罗夫，最终以一定的优势取得了胜利，成为首个在标准比赛时限内击败国际象棋世界冠军的电脑系统。这个事件的发生让我们看到了人工智能的前途，也让我们知道了人工智能未来的发展趋势。现在，人工智能程序已经可以根据搜索解答空间来寻找更优质的解决方案，并且人工智能技术的运用可以获得比人为思考解决事物更全面、更快速的效果。

2. 逻辑推理与定理证明

逻辑推理与定理证明在人工智能研究领域中有着较为长久的历史，如果我们能够找到一些方法，重点关注在大型的数据库中存在的相关事实上，并将可信的证明记录下来，能够在遇到新信息的时候，及时地做出正确的修正。许多类似于医疗诊断和信息检索等非形式化的工作，都可以加以形式化进行解决。

逻辑推理与定理证明的研究在人工智能方法的发展中曾经产生过非常重要的影响。在国际上公认的“吴氏算法”（几何定理机器证明方法）就是由我国人工智能大师吴文俊院士提出并实现的，是定理证明研究中又一里程碑式的成果。

3. 自然语言处理

自然语言处理是人工智能技术应用于实际领域的典型范例。如果一个计算机系统能够像人一样，理解上下文信息，并根据已知信息进行推理，那么，它就已经具备了理解自然语言信息的能力。许多年来，有很多学者投入这一领域的研究，也收到了很大成效。

目前，自然语言处理主要研究的是：计算机系统如何根据已知的主题和对话情景，在结合大量的常识——世界知识和期望作用的基础上，生成和理解自然语言。实现这个功能所需要的编码和解码过程极其复杂，如果能够在这个问题上取得突破性的进展，那么人工智能将进一步走进人们的生活中。

4. 智能信息检索技术

当今计算机科学与技术研究的焦点问题是信息获取技术，如何将人工智能技术与智能信息检索技术进行很好的融合，是人工智能走向广泛实际应用的契机与突破口。目前，智能信息检索系统还有以下 3 个缺陷。第一，难以建立一个能够理解用自然语言表达的询问系统；第二，假设成功预设机器能够理解的形式化询问来规避语言理解问题，如何依据存储的事实给出答案的问题成为我们面临的第二个难题；第三，需要理解的问题和给出的答案都可能超出该学科领域建立的数据库所涵盖的知识。科技的发展，短时间内自然科学知识的激增，智能检索系统的研究与优化为今后科技的持续快速发展保驾护航。

5. 专家系统

专家系统是人工智能研究领域中最活跃、最有成效的一个方向，它具有特定领域内大量的知识与经验。众所周知，人类专家由于具有丰富的知识，然后把它们运用于实际案例中，才能以一个比较好的方式去解决实际问题。那么，如果能给计算机程序装载丰富的知识库，让它们应用这些知识，也应该可以解决人类专家所解决的问题，而且可能因为这样的机器所存储的知识量巨大，它们对某些问题的处理往往会比人为处理更准确、更高效。反之，系统的这一优势也可以帮助人类专家发现推理过程中的错漏，进行改正。

专家领域发展的关键性问题在于如何正确表达和运用专家的知识，目前专家系统用来代替人类进行智能管理与决策，未来将以更成熟的技术性能和更高智力水平的决策与咨询能力为目标，推动人类的发展和社会的进步。

6. 自动程序设计

研究自动程序设计有利于人工智能系统和半自动软件开发系统两者的发展。自动程序设计研究有很多重大的贡献，其中之一是作为问题求解策略的调整概念。经过大量的相关研究我们发现，在面临程序设计或机器人控制问题时，先给出一个不费事的但有错误的解，然后再进行修正，直至系统可以正确工作，相较于直接给出一个没有任何缺陷的解更加有效。

7. 机器人学

越来越多的科学家将研究方向转向机器人的应用研究，例如，如何利用人工智能技术操作机器人装置的研究。在机器人中的应用，从手臂的最佳移动到实现机器人目标的动作序列的规划方法，无一例外地应用了人工智能技术。

智能机器人的研究和应用体现出广泛的学科交叉特点，目前一些涉及众多领域知识的机器人系统已经成功建立起来。同时，机器人和机器人学的研究对人工智能的发展产生了深远的影响。

8. 神经网络

神经网络是一种模拟人脑神经网络以期达到人类学习能力的技术。神经网络已经被应用于各个行业，解决了诸如销售预测、客户研究、数据验证、风险管理等当前社会的很多问题。

9. 数据挖掘与知识发现

知识信息处理的主要内容是如何准确地获取知识。综合运用统计学、粗糙集、模糊数学、机器学习和专家系统等多种学习手段和方法进行有效的数据挖掘，经过选取数据集、数据预处理、数据分析从大量数据中挖掘出模式和信息。数据挖掘为构建信息之间关系提供可能，为构建各种各样的假说提供支撑，在众多领域都得到了广泛的应用，对个人、企业、政府乃至整个国家都有重要的影响。

10. 人工生命

人工生命（AL，Artificial Life）通过计算机和精密机械等手段人工模拟生命系统，造出能够表现自然生命系统行为特征的仿真系统以供生命科学的研究。很早以前，有科学家认为生命仅仅是一种表现形式，我们可以通过人工的方法以另一种表现形式来体现生命。1987 年，第一次国际人工生命会议的召开标志着人工生命这一全新研究领域的诞生。宏观上讲，人工生命和人工智能有相似之处，它们都是工程技术和生命科学的结合，两者相互联系、相互制约。但从微观上看，两者还是有一定差别的，前者主要模拟生命的繁衍、进化和突变过程，而后者主要模拟的是人脑推理、规划、学习、判断等思维活动。

1.4 人工智能的发展及影响

1.4.1 人工智能的发展

在一次学术会议上，第一次出现了“人工智能”这个概念，会议初步确定了人工智能前期的研究方向，后来越来越多的人投入人工智能的研究中。但是在之后的探索过程中，人工智能虽然一直都在坚持前进，然而并不是完全走上了坦途。20 世纪 80 年代，人工智能得到迅速发展，并且逐渐走进人们的生产和生活，开始发挥作用。近十年来，互联网+物联网技术及大数据的爆炸式发展，使越来越多的人开始关注人工智能领域，模式识别、模糊检索、机器学习、智能无人机等人工智能技术均取得了突破性进展，人工智能也被广泛地应用于生活中。由此可见，人工智能的发展过程是曲折盘升，并不断前进的。

近年来，人工智能在计算机人为操作方面取得了很大的突破，但在应用于类人操作方面遇到了棘手的问题。“智能”是目前的人工智能的重点，目的是让机器变得更加智能化，但如何实现“人工”则是更严峻的问题。虽然现在世界很多国家的研究已具雏形，智能机器已经具备初步模拟和处理人脑信号的能力，但要和人类一样思考和操作，在脱离外在的人工监测的环境里自主处理信息，还有很多问题亟待解决。

“炙手可热”的人工智能，令全球科技界望尘莫及，人工智能被诸如谷歌、微软、苹果、IBM、Facebook、英特尔、中国的 BAT 等大型互联网公司视为下一个技术亮点，纷纷砸入巨额资金展开研发与竞争。

尤其在近几年来，深度学习＋大数据＋并行计算共同推动了人工智能技术实现跨越式发展。“人工智能+”应用已开始落地开花，从智能安防，到智能客服，再到智慧教育和智慧医疗等。基于人工智能技术的各种产品在各个领域代替人类从事简单、重复的体力或脑力劳动，大大提升了生产效率和生活质量，也促进了各个行业的发展和变革。

1.4.2 人工智能的应用

目前，人工智能的主要应用都是建立在对自然界现存的、容易转换成数字信号的模拟符号系统的假设上，人工智能利用最广泛的领域集中在对网站异常信息的监测、法律判别、经济交易、医疗诊断等方面，但这些应用主要着眼于计算机技术和机械操作相结合，使机械的自动化程度更高，但是这还远远达不到绝对意义上的人工智能。目前来讲，人工智能可以总结为以下三个方面。

1. 人工智能应用于智能决策

举例来讲，一般在准备投资之前，大部分人会选择大型的证券投资机构进行咨询。在传统的分析构架下，基金经理或者交易员通常会翻看大量的财务信息、交易数据及一些必要的历史记录作为素材进行分析建模，最后给出相应的投资建议。如今有了人工智能的帮助，在经过大量训练及回溯测试之后，人工智能的交易胜率已经可以达到 70%。而且人性天生存在弱点，贪婪和恐惧等情绪往往都会影响交易决策结果，人工智能程序化交易的引入可以很好地避免人在投资过程中可能出现的主观判断。

2. 人工智能应用于最优路径规划

近年来，物流、外卖、打车等越来越多基于地理信息高效配置共享资源的手机应用如雨后春笋般层出不穷，改变着现代人们的生活方式。以物流配送行业为例，在设计配送运输路线之前，需要确定目标。根据配送货物的具体要求、所在配送中心的实力以及其他必要的客观条件，配送中心可以以效益最高、成本最低、路程最短、准确性最高等作为目标设计具体路线。现在物流行业的服务越来越人性化，在时间上可以选择即日达、次日达、定点派送等，在地点上可以选择定点投递或上门取件等服务方式，为了满足所有寄件人和收件人对货物品种、规格、数量的要求，满足对货物送达时间范围的要求，各配送路线上的货物量需要在不超过车辆容量和载重量限制的条件下实现最大化配送。在面临一个问题的时候，人工智能更优于人类的地方，就在于当人类根据经验思考省时、高效的路线时，人工智能依据其储存的路径信息，迅速地对各种可能的路径进行比较，考虑到距离、路况、突发情况等人类无法预判的约束，以大量数据为依托得到最有效的计算结果。

3. 人工智能应用于智能计算机系统的搭建

人工智能近期的一大研究目标，就是如何用人工智能在一定程度上代替人类从事脑力劳动，使现有的计算机变得更加好用。我们也可以将人工智能理解为计算机科学的拓展。除此之外，人工智能还有用自动机模拟人类的思维方式和独特的行为这一更长远的研究目标。这一目标的提出不仅仅局限于计算机科学的范畴，更是融合了自然科学、社会科学等很多相关科学领域的知识。

1.4.3 人工智能的影响

人工智能的发展对人类社会的影响一直众说纷纭。人类应该做的，就是竭尽所能确保人工智能的发展对人类和人类环境有利。人工智能从原始形态不断发展到被证明有用的同时，可能会出现一个结果，即如果人工智能脱离人类的束缚，将会以不断加速的状态重新设计自身，而人类的进化则会受到限制，以至于无法与之竞争，最终被取代。这是对人类社会极大的破坏。因此，对于人工智能的研究应该从提升人工智能能力转变到最大化人工智能的社会效益上。

1. 经济方面

（1）系统应用。一个成功的专家系统能够为其建造者、拥有者和用户创造可观的经济收益。在不需要专家的情况下利用较为经济的方法解决问题，可以降低投入成本。软件的易于复制性使专家系统能够将专家知识和经验广泛地推广出去。

领域专业人员难以同时保持最新的实际建议，而专家系统能迅速地更新和保存这类建议，使终端用户从中受益。例如，专家系统已经被应用于具有复杂性及经验性等诸多特点的地质学科。在地学的许多研究领域，专家系统的介入已经取得了很多一般传统方法不可替代的成果，在诸如地质勘探、突水预报、矿山环境治理等方面发挥着日益重要的作用。

（2）技术发展。计算机技术的各个方面或多或少地受到人工智能技术的影响。繁重的计算量需要并行处理和专用集成芯片的开发研究。算法发生器和灵巧的数据结构也广泛地应用在许多领域，使自动程序设计技术对软件的开发产生了更加积极的影响。计算机技术将得到进一步的发展，进而为人类带来更大的经济效益。

计算机设定的程序可以实现对人类的思维意识的检测，模仿人类思维方式作出判断，这是人工智能的一大难点，也体现了计算机技术的重要性。现代社会日益发展，人工智能的进步促进着各行各业的发展，越来越多的科学家和企业家更关注于如何利用人工智能更好地服务人类社会。

2. 文化方面

（1）改善人类语言。科技的发展正在以一种潜移默化的方式改变着我们的语言习惯。语言可以表现思维，但人的下意识和潜意识往往无法用语言表达。随着人工智能理论的不断普及，人们可能应用人工智能概念来描述他们生活中的日常状态和求解各种问题的过程。人工智能扩大了人们交流知识的概念集合，可以提供一定状况下可供选择的概念、描述所见所闻的方法以及描述人类信念的新方法。

（2）改善文化生活。人工智能技术为文化产业提供了很多机会，将一些关键性技术与文化产业结合，实现文化内容、传播方式及文化市场管理方面的创新。例如，与人类进行友好互动的高级智能机器人，提供管家式服务的机器人，可以根据用户的搜索习惯和浏览历史提供个性化的内容推送，Siri、Cortana 等一众语音识别助手等。可见，人工智能的出现改变了现如今的媒体格局，改善了人们的文化生活，为大众的文化生活带来了更多可能。

3. 社会方面

（1）劳务就业。随着人工智能的不断发展成熟，预计 2016—2030 年，中国被人工智能替代的全职员工将达到 4 000～4 500 万人。越来越多的行业和工作向着自动化的方向发展，尤其是装配作业等体力劳动最容易受到自动化技术的影响。

（2）社会结构。人工智能的发展是一把双刃剑，其发展趋势势不可当，人工智能能够代替人类从事高危、高强度的劳动，并创造出一些新的行业和就业机会，但它的过度发展也会引发新的社会问题。就目前的情况来讲，社会结构正在慢慢地发生变化，人们应该了解人工智能的特点和应用，了解其中蕴藏的无限潜力、短板和发展趋势，建立正确的认知，以积极的态度对待和接纳人工智能技术，持续学习新的知识，提高工作能力，适应人工智能发展的新浪潮。

（3）思维方式和观念。人工智能时代的来临，我们首先要做的就是转变思维方式。曾经的我们希望让生活变得越来越智能化，现在已经逐渐实现了这一梦想，人工智能可以分析放射科的照片，可以驾驶汽车和飞机，生活中已经有很多不为人知的方面与人工智能息息相关了。人工智能与人类的大脑有着不同的认知方式和模式，我们需要利用它们在某个维度超越人类的方式，进行平衡和调整。人工智能本来是一次人力的解放，有些人却担心未来某一天人类会被人工智能所取代，其实所有的工作都可以归为不同种类，将高效率、高重复性的工作交给机器人，而那些创造性的工作依然要人类去做，如人际交往、艺术创作、科技发明等。我们不应该由于惧怕而阻碍人工智能的发展，而应该把人工智能和人类的智慧巧妙地结合在一起，将两个独立思考的个体强强联合，协调共生、同步发展，共同推进社会的发展。

（4）心理威胁。普遍认为，人类与机器的区别就在于人类具有感知精神。如果机器也具备思维和创作能力，那么人类可能会感到失望，甚至是威胁。很多人认为人工智能的出现颠覆了人与传统工具之间控制与被控制的关系，人工智能有朝一日可能会成为认知主体，超过人类的自然智能，智能机器人可能成为人类历史上的最大灾难。

哲学家、神学家和其他研究学者对于人和人工智能之间的关系问题一直存在着争议。从某种意义上来讲，人工智能的威胁论表达了人类的忧患意识，但确实有些杞人忧天。政府在推进科学发展的同时，更应该加强对社会科学的研究，切实把伦理考量贯穿于科学发展的始终，在研发人工智能的过程中，作出有利于人类社会的抉择。

（5）安全威胁。随着不遵循人类意愿行事的超级智能的崛起，那个强大的系统逐渐威胁到了人类。因此，人类需要通过进一步的研究来找到和确认一个可靠的解决办法来掌控这一问题。如果人类已经无法控制它了，或者试图利用新技术反对人类的人获得它，那么都将产生不可估量的后果。对于机器人和人工智能的其他制品在未来会威胁人类的安全的观点，著名的美国科幻作家阿西莫夫（I.Asimov）提出了“机器人三守则”——机器人必须不危害人类，也不允许它眼看人类受害而袖手旁观；必须绝对服从人类，除非这种服从有害于人类；必须保护自身不受伤害，除非为了保护人类或者是人类命令它作出牺牲。

人工智能技术促进了经济发展和社会进步、提高了文化水平，随着时间的推移，技术将会不断进步，影响也会更加深远。也许有些方面的影响以现在的技术我们现在还无法预测，但人工智能将影响人类的物质文明和精神文明的发展，是毋庸置疑的。

1.5 本章小结

什么是人工智能，如何理解人工智能，人工智能研究什么，人工智能的理论基础是什么，人工智能能够在哪些领域得到应用，等等，这些都是人工智能学科或人工智能课程需要研究和回答的问题。本章主要介绍人工智能的定义、发展概况、研究目标、研究内容、应用领域和社会影响，宏观地讲述人工智能的基本情况，使读者快速对人工智能形成系统的认识，积极投身于喜爱的科研领域。

习题 1

1-1 人工智能发展经历了哪几个重要阶段？

1-2 人工智能按能力如何分类？

1-3 什么是人工智能？人工智能的研究目标是什么？

1-4 人工智能的研究内容是什么？

1-5 人工智能的典型技术应用有哪些？

1-6 人工智能的典型实践应用有哪些？

1-7 人工智能对经济、文化、社会方面的影响是如何体现的？

第二章

人工智能数学基础

人工智能的入门还是比较简单的，尤其是借助于现在盛行的 Python，想要写出不错的人工智能程序并不困难。但是，想要精通人工智能技术难度比较大，其实人工智能 60% 以上的工作都集中在对原始数据的处理上。想要足够了解自己的数据，就需要使用各种统计学方法来观察检测数据，数据准备好之后，就可以根据经验来挑选模型。

人工智能离不开数学，数学对于人工智能算法来说是必备的基础。想要理解一个算法的内在逻辑，没有数学是不行的。虽然在之后的实际操作中，对于算法的实现可能就是调参、调包，不会用到更深层次的数学原理，但是在直接使用现有工具的效果不理想时，如果不懂数学，就很难对算法进行有针对性的优化，进而阻碍人工智能技术在该领域的应用发展。数学是人工智能学习路上的天花板。

下面，我们将从几个主要的应用领域出发，讲述该领域常用的经典数学理论及实现方法，并结合当下流行的 Python 编程语言及其工具库进行数据处理方面的编程实验。

2.1 矩阵论

矩阵论是线性代数的后继课程，是学习经典数学的基础。在线性代数的基础上，进一步介绍了线性空间与线性变换。欧式空间与酉空间，以及在此空间上的线性变换，深刻地揭示有限维空间上的线性变换的本质与思想。为了拓展高等数学的分析领域，通过引入向量范数和矩阵范数在有限维空间上构建了矩阵分析理论。

从应用角度来讲，矩阵代数是数值分析的重要基础，矩阵分析是研究现行动力系统的重要工具。为了矩阵理论的实用性，对于矩阵代数与分析的计算问题，并利用 Python

软件实现快捷的计算分析，将所学的理论知识应用于本专业的实际问题，并转化为解决实际问题的能力。矩阵论作为数学领域的一个重要分支，已成为现代科技领域处理大量有限维空间形式与数量关系的有力工具。

2.1.1 线性空间与线性变换

线性空间与线性变换是学习现代矩阵论时经常用到的两个非常重要的概念。

设 V 是一个非空集合，它的元素用 $\boldsymbol{x},\boldsymbol{y},\boldsymbol{z}$ 等表示，并称之为向量；K 是一个数域，它的元素用 k,l,m 等表示，如果 V 满足下列条件：

（1）在 V 中定义一个加法运算，即当 $\boldsymbol{x},\boldsymbol{y}\in V$ 时，有位移的和 $\boldsymbol{x}+\boldsymbol{y}\in V$，且加法运算满足以下四个性质。

1）交换律 $\boldsymbol{x}+\boldsymbol{y}=\boldsymbol{y}+\boldsymbol{x}$。

2）结合律 $\boldsymbol{x}+(\boldsymbol{y}+\boldsymbol{z})=(\boldsymbol{x}+\boldsymbol{y})+\boldsymbol{z}$。

3）存在零元素 0，使 $\boldsymbol{x}+0=\boldsymbol{x}$。

4）存在负元素，即对任一向量 $\boldsymbol{x}\in V$，存在向量 $\boldsymbol{y}\in V$，使 $\boldsymbol{x}+\boldsymbol{y}=0$，则称 $\boldsymbol{y}$ 为 $\boldsymbol{x}$ 的负元素，记为 $-\boldsymbol{x}$，于是有 $\boldsymbol{x}+(-\boldsymbol{x})=0$。

（2）在 V 中定义数乘运算，即当 $\boldsymbol{x}\in V$，$k\in K$，有唯一 $k\boldsymbol{x}\in V$，且数乘运算满足以下四个性质。

1）数因子分配率 $k(\boldsymbol{x}+\boldsymbol{y})=k\boldsymbol{x}+k\boldsymbol{y}$。

2）分配率 $(k+l)\boldsymbol{x}=k\boldsymbol{x}+l\boldsymbol{x}$。

3）结合律 $k(l\boldsymbol{x})=(kl)\boldsymbol{x}$。

4）$l\boldsymbol{x}=\boldsymbol{x}$。

则称 V 为数域 K 上的线性空间或向量空间。

线性空间 V 到自身的一种映射就是 V 的一个变换。

在简要介绍这两个概念的基础上，再讨论两个特殊的线性空间——欧式空间和酉空间。设 V 是实数域 R 上的线性空间，对于 V 中任意二向量 $\boldsymbol{x}$ 与 $\boldsymbol{y}$，按某规则定义一个实数，用（$\boldsymbol{x},\boldsymbol{y}$）表示，且它满足下列四个条件。

（1）交换律：$(\boldsymbol{x},\boldsymbol{y})=(\boldsymbol{y},\boldsymbol{x})$。

（2）分配律：$(\boldsymbol{x},\boldsymbol{y}+\boldsymbol{z})=(\boldsymbol{x},\boldsymbol{y})+(\boldsymbol{x},\boldsymbol{z})$。

（3）齐次性：$(k\boldsymbol{x},\boldsymbol{y})=k(\boldsymbol{x},\boldsymbol{y})(\forall k\in R)$。

（4）非负性：$(\boldsymbol{x},\boldsymbol{x})\geqslant 0$，当且仅当 $\boldsymbol{x}=0$ 时，$(\boldsymbol{x},\boldsymbol{x})=0$。

则称 V 为 Euclid 空间，简称欧式空间或实内积空间。

欧式空间是针对实数域 R 上的线性空间而言的，而酉空间是一个特殊的复线性空间，两者理论相近，有一套平行的理论。

2.1.2 范数理论

在计算数学中，研究数值方法的收敛性、稳定性及误差分析等问题时，范数理论起到了重要的作用。

若 V 是实数域 K 上的线性空间，且对于 V 的任一向量 $\boldsymbol{x}$，对应一个实值函数 $\|\boldsymbol{x}\|$，它满足以下三个条件。

（1）非负性：当 $\boldsymbol{x}\neq 0$ 时，$\|\boldsymbol{x}\|\geqslant 0$，当 $\boldsymbol{x}=0$ 时，$\|\boldsymbol{x}\|=0$。

（2）齐次性：$\|c\boldsymbol{x}\|=|c|\ \|\boldsymbol{x}\|$（$a\in K$，$\boldsymbol{x}\in V$）。

（3）三角不等式：$\|\boldsymbol{x}+\boldsymbol{y}\|\leqslant\|\boldsymbol{x}\|+\|\boldsymbol{y}\|$（$\boldsymbol{x}$，$\boldsymbol{y}\in V$）。

则称 $\|\boldsymbol{x}\|$ 为 V 上向量 $\boldsymbol{x}$ 的范数，简称向量范数。

2.2 应用统计

2011 年诺贝尔经济学奖获得者 Thomas J.Sargent 在世界科技论坛上表示人工智能都是利用统计学来解决问题。随机性在自然现象和社会现象中普遍存在，应用统计学作为一门收集、整理、描述、显示和分析数据的科学，在测量、通信、质量控制、气象、水文、地震预测等多个领域都有重要的应用。

2.2.1 参数估计

掌握某个随机现象的统计规律，就是要掌握描述该随机现象的随机变量的分布。在实际应用中，我们无法通过大量抽样的方法得到观测数据，所以需要对分布的某些数字特征进行估计。我们可以把几个参数分为两类：当总体分布的形式已知时，分布的未知因素体现在总体分布的某个参数上，这类参数有一个显著的特点，总体分布可以随着参数的确定而确定，而且总体参数虽然未知，但是它可能的取值范围是已知的。当总体分布的形式未知时，即使对未知参数作出了估计，仍无法确定总体的分布。

参数估计的方法有点估计法和区间估计法两种。

2.2.2 假设检验

假设检验是统计推断中另一类重要的问题。在假设检验中，先假设总体分布的形式或总体的参数具有某种特性，然后利用样本提供的信息来判断原先的假设是否合理。若合理，则承认假设的正确性，否则便否认原先的假设，从而对所需研究的问题作出分析和判断。

假设检验通常可以分为以下 5 个步骤。

（1）提出假设，写明原假设 H_0 和备择假设 H_1（ H_0 的对立面）的具体内容，H_0 与 H_1 是互补的假设。

（2）选择检验统计量，根据 H_0 的内容，选取适当的统计量，要求此统计量的分布是可确定的。

（3）给定检验水平 a，对于实际的问题应根据不同的需要和侧重，选取不同的水平，为了查表方便，一般选取 a=0.01,0.05,0.10,⋯,n。

（4）确定拒绝域（或接受域），由假设的内容选取的统计量和给定的 a，用分步的分位数表来确定拒绝 H_0 的临界值，并表示成一般的拒绝形式——拒绝域。

（5）作出判断，由样本值算出统计量的值，若所算出的统计值落入拒绝域中，则在检验水平 a 下拒绝 H_0 ，而认为 H_1 是真的；否则，接受 H_0 。

2.2.3 回归分析与方差分析

回归分析和方差分析是数理统计中常用的方法，用于研究变量与变量之间的相关关系。在实践中，我们可以发现，变量之间的关系可以分为两种，一种是各变量之间存在完全确定的关系；另一种变量之间的关系是非确定性的，这种关系无法用一个精确的数学式来表示，可以称为相关关系或统计依赖关系。另外，在相关关系的变量中，仍分为几种不同的情况。第一种情况是，这些变量全部为随机变量，可以将变量中的任一个作为“因变量”，其余则作为“自变量”。第二种情况是，某些变量是可以观测和控制的非随机变量，另一个变量与之有关，但它是随机变量，可以把随机变量作为因变量，可控变量作为自变量，此时变量的地位不可交换。回归分析方法是处理第二种情况的重要工具，回归的内容包括：确定预报变量与响应变量之间的回归模型，根据样本观测数据检验回归模型；利用所得回归模型根据一个或几个变量的值预测或控制另一个变量的取值，并给出这种预测或控制的精度。

方差分析与回归分析的要求与方法都不同。方差分析是根据实验结果进行分析，鉴别各有关因子对实验结果的影响程度。在方差分析中，因子可以不是数量化指标，而是不同的条件，它可以用来检验“多个正态总体均值是否有显著性差异”。

2.3 数值分析

数值分析是计算数学的一个重要部分，它研究用计算机求解各种数学问题的数值计算方法，以及其理论与软件实现。用计算机求解数学问题通常经历以下 5 个步骤：

实际问题→数学模型→数值计算方法→程序设计→上机计算求出结果。

根据实际问题建立数学模型往往是应用数学的任务，计算数学更关注的是如何给出数值计算方法，并根据计算方法编制算法程序，从而求得最终的计算结果。

计算机及科学技术的快速发展使求解各种数学问题的数值方法也越来越多，解决问题的速度和效率也得到了很大的提升。数值分析涉计数学的各个分支，所包含的内容十分广泛，本节只介绍基本的数值计算方法及其理论内容，包括：插值与数据逼近；数值微分与积分；线性方程组的数值求解；非线性方程与方程组求解等。它以数学问题为导向，将理论与计算相结合，重点关注数学问题的数值算法及其理论，是一门依赖于计算机技术的实用性课程。

2.3.1 插值法与数值逼近

插值法有着悠久的历史，它来自古人的生产实践活动，可以追溯到一千多年前的隋唐时期，人们利用二次插值法制定了历法，进行天文计算。17 世纪，微积分的产生给插值理论的建立提供了条件。近半个世纪以来，由于计算机的推广，插值法逐步延伸到造船、航空航天、机械加工等实际工程问题中，获得了更广泛的应用。常见的插值法有拉格朗日插值法、牛顿的等距节点插值法，以及均差插值公式、埃尔米特插值法、分段低次插值法、三次样条插值法等。

（1）拉格朗日插值。

若 n 次多项式 $l_j(x)(j=0,1,\cdots,n)$ 在 $n+1$ 个节点 $x_0<x_1<\cdots<x_n$ 上满足式（2.1）：

$$l_j(x_k)=\begin{cases}1\,, & k=j\,,\\ 0\,, & k\neq j\,,\end{cases}\quad j,k=0,1,\cdots,n \tag{2.1}$$

我们称这 $n+1$ 个 n 次多项式 $l_0(x),l_1(x),\cdots,l_n(x)$ 为节点 $x_0,x_1,\cdots,x_n$ 上的 n 次插值基函数，可以表示为式（2.2）：

$$l_k(x)=\frac{(x-x_0)\cdots(x-x_{k-1})(x-x_{k+1})\cdots(x-x_n)}{(x_k-x_0)\cdots(x_k-x_{k-1})(x_k-x_{k+1})\cdots(x_k-x_n)},\quad k=0,1,\cdots,n \tag{2.2}$$

则 n 次插值多项式可以表示为式（2.3）：

$$L_n(x)=\sum_{k=0}^{n}y_k l_k(x) \tag{2.3}$$

由 $l_k(x)$ 的定义可得式（2.4）：

$$L_n(x_j)=\sum_{k=0}^{n}y_k l_k(x_j)=y_j\,,\quad j=0,1,\cdots,n \tag{2.4}$$

此时的插值多项式 $L_n(x)$ 称为拉格朗日插值多项式。

（2）均差与牛顿插值多项式。

利用插值基函数可以得到拉格朗日插值多项式，但当插值节点数发生增减变化时，需要重新进行计算。为了计算方便，可重新设计一种逐次生成插值多项式的方法。

已知 f 在插值点 $x_i(i=0,1,\cdots,n)$ 上的值为 $f(x_i)(i=0,1,\cdots,n)$，要求 n 次插值多项式 $P_n(x)$ 满足条件式（2.5）：

$$P_n(x_i)=f(x_i),\quad i=0,1,\cdots,n \tag{2.5}$$

则 $P_n(x)$ 可以表示为式（2.6）：

$$P_n(x_i)=a_0+a_1(x-x_0)+\cdots+a_n(x-x_0)\cdots(x-x_{n-1}) \tag{2.6}$$

式中，$a_0,a_1,\cdots,a_n$ 为待定系数。与拉格朗日插值不同的是，这里的 $P_n(x)$ 是由基函数 $\{1,x-x_0,\cdots,(x-x_0)\cdots(x-x_{n-1})\}$ 逐次递推得到的。为了确定 $a_0,a_1,\cdots,a_n$ 的表达式，需要引入均差的定义。

一般地，称式

$$f[x_0,x_1,\cdots,x_k]=\frac{f[x_0,\cdots,x_{k-2},x_k]-f[x_0,x_1,\cdots,x_{k-1}]}{x_k-x_{k-1}} \tag{2.7}$$

为 $f(x)$ 的 k 阶均差。

借助均差的定义，可以将 x 看作 $[a,b]$ 上的一点，可得式（2.8）。

$$\begin{aligned}f(x)=&f(x_0)+f[x_0,x_1](x-x_0)+f[x_0,x_1,x_2](x-x_0)(x-x_1)+\cdots+\\&f[x_0,x_1,\cdots,x_n](x-x_0)\cdots(x-x_{n-1})+\\&f[x_0,x_1,\cdots,x_n]\omega_{n+1}(x)\\=&P_n(x)+R_n(x)\end{aligned} \tag{2.8}$$

式中，

$$\begin{aligned}P_n(x)=&f(x_0)+f[x_0,x_1](x-x_0)+f[x_0,x_1,x_2](x-x_0)(x-x_1)+\cdots+\\&f[x_0,x_1,\cdots,x_n](x-x_0)\cdots(x-x_{n-1})\end{aligned}$$

$$R_n(x)=f(x)-P_n(x)=f[x_0,x_1,\cdots,x_n]\omega_{n+1}(x)$$

其系数 a_k 满足式（2.9）：

$$a_k=f[x_0,x_1,\cdots,x_k],\quad k=0,1,\cdots,n \tag{2.9}$$

我们称 $P_n(x)$ 为牛顿均差插值多项式，它比拉格朗日插值计算量小，更便于程序设计。

在数值计算中经常要计算函数值，当函数只在有限点集上给定函数值，要在包含该点集的区间上用公式给出函数的简单表达式，这就涉及在区间$[a,b]$上用简单函数逼近已知复杂函数的问题，这就是函数逼近问题。

2.3.2 数值积分与数值微分

积分和微分是用极限来定义的两种分析运算的，处理数值分析和数值微分的基本方法是逼近法：设构造某个简单函数$P(x)$近似$f(x)$，然后对$P(x)$求积（求导）得到$f(x)$的积分（导数）近似值。插值求积公式分为牛顿-柯特斯公式和高斯公式两类，实际计算宜采用复合求积的方法。高斯公式精度高、计算稳定，但节点选取较困难。带权高斯求积方法能把复杂积分简单化，还可以直接计算奇异积分。基于理查森外推的龙贝格求积方法由于计算程序简单、精度较高，是一种在计算机上求积的有效算法。在数值微分中也有相似的算法，但由于计算的不稳定性，在数值微分中，步长的选取很重要。

2.3.3 解线性方程的直接方法与迭代法

关于线性方程组的数值解法一般有直接法和迭代法两类。直接法就是经过有限步算术运算，求得方程组的精确解，但由于实际计算中存在误差，这种方法有一定的局限性，只能求得线性方程组的近似解。迭代法是利用某种极限过程去逐步逼近线性方程组的精确解。迭代法要求计算机的存储单元较少、程序设计简单、原始系数矩阵在计算过程中始终不变，但存在收敛性及收敛速度的问题。迭代法是解决大型稀疏矩阵方程组的重要方法。

1. 直接方法

（1）高斯消去法。

设有线性方程组：

$$\begin{cases} a_{11}x_1 + a_{12}x_2 + \cdots + a_{1n}x_n = b_1, \\ a_{21}x_1 + a_{22}x_2 + \cdots + a_{2n}x_n = b_2, \\ \cdots\cdots\cdots\cdots\cdots\cdots\cdots\cdots \\ a_{m1}x_1 + a_{m2}x_2 + \cdots + a_{mn}x_n = b_m, \end{cases} \tag{2.10}$$

或写为矩阵形式：

$$\begin{pmatrix} a_{11} & a_{12} & \cdots & a_{1n} \\ a_{21} & a_{22} & \cdots & a_{2n} \\ \vdots & \vdots & \cdots & \vdots \\ a_{n1} & a_{m2} & \cdots & a_{mn} \end{pmatrix} \begin{pmatrix} x_1 \\ x_2 \\ \vdots \\ x_n \end{pmatrix} = \begin{pmatrix} b_1 \\ b_2 \\ \vdots \\ b_m \end{pmatrix} \tag{2.11}$$

简记为 $\boldsymbol{Ax} = \boldsymbol{b}$。

高斯消去法解方程组的基本思想，是用逐次消去未知数的方法把原方程组 $\boldsymbol{Ax} = \boldsymbol{b}$ 化为与其等价的三角形方程组，而求解三角形方程组可用回代的方法求解。

下面我们讨论如何用算法来实现高斯消去的过程：

设 $\boldsymbol{A} \in R^{m\times n}(m>1), s=m:n(m-1,n)$，如果 $a_{kk}^{(k)} \neq 0(k=1,2,\cdots,s)$，利用高斯方法将 $\boldsymbol{A}$ 化为上梯形，且 $\boldsymbol{A}^{(k)}$ 覆盖 $\boldsymbol{A}$，乘数 m_{ik} 覆盖 a_{ik}。

对于 $k=1,2,\cdots,s$：

① 如果 $a_{kk}=0$，则停止计算。

② 对于 $i=k+1,\cdots,m$

i. $a_{ik} \leftarrow m_{ik} = a_{ik} / a_{kk}$

ii. 对于 $j=k+1,\cdots,n$

$$a_{ij} \leftarrow a_{ij} - m_{ik} * a_{kj}$$

由此可见，算法的第 k 步需要做 $m-k$ 次除法和 $(m-k)(n-k)$ 次乘法运算，因此，本

算法大约需要 $s^3/3-(m+n)s^2/2+mns$ 次乘法运算。当 $m=n$ 时，总计大约需要 $n^3/3$ 次乘法运算。

（2）高斯主元素消去法

由高斯主元素消去法可知，在消元过程中可能出现 $a_{kk}^{(k)}=0$ 的情况，即无法进行消去法，即使主元素 $a_{kk}^{(k)}\neq 0$，但很小时，用其作除数会导致其他元素数量级的严重增长和舍入误差的扩散，最后，计算结果不准确。

目前，主要使用的是列主元素消去法，并假定式（2.11）的 $\boldsymbol{A}\in R^{n\times n}$ 为非奇异的。

设方程组（2.11）的增广矩阵为

$$\boldsymbol{B}=\left(\begin{array}{cccc|c} a_{11} & a_{12} & \cdots & a_{1n} & b_1 \\ a_{21} & a_{22} & \cdots & a_{2n} & b_2 \\ \vdots & \vdots & & \vdots & \vdots \\ a_{n1} & {}_{n2} & \cdots & a_{nn} & b_n \end{array}\right) \tag{2.12}$$

首先，在 $\boldsymbol{A}$ 的第 1 列中选取绝对值最大的元素作为主元素，如 $\left|a_{i1,1}\right|=\max\limits_{1\leqslant i\leqslant n}\left|a_{i1}\right|\neq 0$；然后，交换 $\boldsymbol{B}$ 的第 1 行与第 i_1 行，经第 1 次消元计算得 $(\boldsymbol{A}\mid\boldsymbol{b})\rightarrow\left(\boldsymbol{A}^{(2)}\mid\boldsymbol{b}^{(2)}\right)$。

重复上述过程，设完成第 $k-1$ 步的选主元素，交换两行及消元计算，$(\boldsymbol{A}\mid\boldsymbol{b})$ 化为

$$(\boldsymbol{A}^{(k)}\mid\boldsymbol{b}^{(k)})=\left(\begin{array}{cccccc|c} a_{11} & a_{12} & \cdots & a_{1k} & \cdots & a_{1n} & b_1 \\ & a_{22} & \cdots & a_{2k} & \cdots & a_{2n} & b_2 \\ & & \ddots & \vdots & & \vdots & \vdots \\ & & & a_{kk} & \cdots & a_{kn} & b_k \\ & & & \vdots & & \vdots & \vdots \\ & & & a_{nk} & \cdots & a_{nn} & b_n \end{array}\right) \tag{2.13}$$

式中，$\boldsymbol{A}^{(k)}$ 的元素仍记为 a_{ij}，$\boldsymbol{b}^{(k)}$ 的元素仍记为 b_i。

第 k 步选主元素（在 $\boldsymbol{A}^{(k)}$ 右下角方阵的第 1 列内选），即确定 i_k，

$$\left|a_{ik,k}\right|=\max_{k\leqslant i\leqslant n}\left|a_{ik}\right|\neq 0$$

交换 $(\boldsymbol{A}^{(k)}\mid\boldsymbol{b}^{(k)})$ 第 k 行与 $i_k(k=1,2,\cdots,n-1)$ 行的元素，再进行消元计算，最后将原线性方程组化为：

$$\begin{pmatrix} a_{11} & a_{12} & \cdots & a_{1n} \\ & a_{22} & \cdots & a_{2n} \\ & & \ddots & \vdots \\ & & & a_{nn} \end{pmatrix} \begin{pmatrix} x_1 \\ x_2 \\ \vdots \\ x_n \end{pmatrix} = \begin{pmatrix} b_1 \\ b_2 \\ \vdots \\ b_n \end{pmatrix} \tag{2.14}$$

回代求解

$$\begin{cases} x_n = b_n / a_{nn}, \\ x_i = (b_i - \sum_{j=i+1}^{n} a_{ij} x_j) / a_{ii}, \quad i = n-1, \cdots, 2, 1 \end{cases} \tag{2.15}$$

下面，我们讨论如何用算法来实现列主元素消去法的过程。

设 $\boldsymbol{Ax}=\boldsymbol{b}$，本算法用 $\boldsymbol{A}$ 具有行交换的列主元素消去法。消元结果冲掉 $\boldsymbol{A}$，乘数 m_{ij} 冲掉 a_{ij}，计算解 x 冲掉常数项 b，行列式存放在 det 中。

① det←1。

② 对于 $k=1,2,\cdots,n-1$，

i. 按列选取主元素 $|a_{ik,k}| = \max\limits_{k \leqslant i \leqslant n} |a_{ik}|$。

ii. 如果 $a_{ik,k}=0$，则停止计算 $(\det(\boldsymbol{A})=0)$。

iii. 如果 $i_k = k$，则转 iv,

$$a_{kj} \leftrightarrow a_{ik,j} (j = k, k+1, \cdots, n)$$。

换行：$b_k \leftrightarrow b_{ik}$，

$$\det \leftarrow \det$$。

iv. 消元计算。

对于 $i = k+1, \cdots, n$，

a. $a_{ik} \leftarrow m_{ik} = a_{ik} / a_{kk}$。

b. 对于 $j = k+1, \cdots, n$，

$$a_{ij} \leftarrow a_{ij} - m_{ik} \cdot a_{kj}$$。

c. $b_i \leftarrow b_i - m_{ik} \cdot b_k$。

v. $\det \leftarrow a_{kk} \cdot \det$。

③ 如果 $a_{nn} = 0$，则停止计算 $[\det(A) = 0]$。

④ 回代求解。

i. $b_n \leftarrow b_n / a_{nn}$。

ii. 对于 $i = n-1, \cdots, 2, 1$，

$$b_i \leftarrow (b_i - \sum_{j=i+1}^{n} a_{ij} \cdot b_j) / a_{ii}$$ 。

⑤ $\det \leftarrow a_{nn} \cdot \det$。

（2）迭代法。对于由工程技术中产生的大型稀疏矩阵方程组（A 的阶数 n 很大，但零元素较多），利用迭代法求解线性方程组 $Ax = b$ 更合适。下面主要介绍迭代法中的雅克比迭代法和高斯-塞德尔迭代法。

1）雅克比迭代法。

解 $Ax = b$ 的雅克比迭代法的计算公式为

$$\begin{cases} x^{(0)} = (x_1^{(0)}, x_2^{(0)}, \cdots, x_n^{(0)})^{\mathrm{T}} \\ x_i^{(k+1)} = (b_i - \sum_{\substack{j=1 \\ j \neq i}}^{n} a_{ij} x_j^{(k)}) / a_{ii} \\ i = 1, 2, \cdots, n;\ k = 0, 1, \cdots,\text{表示迭代次数} \end{cases} \tag{2.16}$$

2）高斯-塞德尔迭代法。

解 $Ax = b$ 的雅克比迭代法的计算公式为

$$\begin{cases} x^{(0)} = (x_1^{(0)}, x_2^{(0)}, \cdots, x_n^{(0)})^{\mathrm{T}} \\ x_i^{(k+1)} = (b_i - \sum_{j=1}^{i-1} a_{ij} x_j^{(k+1)} - \sum_{j=i+1}^{n} a_{ij} x_j^{(k)}) / a_{ii} \\ i = 1, 2, \cdots, n; k = 0, 1, \cdots. \end{cases} \tag{2.17}$$

下面我们讨论如何用算法来实现高斯-塞德尔迭代法的过程。

设 $Ax = b$，其中 $A \in R^{n \times n}$ 为非奇异矩阵，且 $a_{ii} \neq 0 (i = 1, 2, \cdots, n)$，本算法用高斯-塞德

尔迭代法解 $\boldsymbol{A}x = \boldsymbol{b}$，数组 $x(n)$ 开始存放 $x^{(0)}$，后存放 $x^{(k)}$，N_0 为最大迭代次数。

① $x_i \leftarrow 0.0(i = 1, 2, \cdots, n)$。

② 对于 $k = 1, 2, \cdots, N_0$，$i = 1, 2, \cdots, n$，

$$x_i \leftarrow (b_i - \sum_{j=1}^{i-1} a_{ij} - \sum_{j=i+1}^{n} a_{ij} x_j) / a_{ii}$$

迭代一次，这个算法需要的运算次数最多与矩阵 $\boldsymbol{A}$ 的非零元素的个数一样。

2.4 经典变换

2.4.1 快速傅里叶变换

快速傅里叶变换（Fast Fourier Transform，FFT）是利用计算机计算离散傅里叶变换（Discrete Fourier Transform，DFT）的高效、快速计算方法的统称，简称 FFT，在 1965 年由 Cooley 和 Tukey 提出。FFT 的本质就是 DFT，可以将信号从时域变换到频域，而且时域和频域都是离散的。也就是说，FFT 可以求出一个信号是由哪些正弦波叠加而成的，求出的结果就是这些正弦波的幅度和相位。例如，音乐播放器上面显示的就是音乐信号经过 FFT 之后的不同频率正弦波的幅度。在分析和合成语音信号时，在通信系统中实现全数字化的时分制与频分制（TDM/FDM）的复用转换时，在频域对信号滤波及相关分析时，我们都可以利用对雷达、声呐、振动信号的频谱分析的方法来提高对目标的搜索精度和跟踪的分辨率等。这些技术的应用都需要利用 FFT。FFT 具有计算量小的优点，能够广泛地应用在信号处理技术领域，再结合高速的硬件系统就可以实时处理信号。

首先来简单了解一下 DFT 的基本原理。

1. 连续信号的傅里叶变换

设 $x(t)$表示非周期连续的时间信号，可以利用傅里叶变换求出该信号的频谱信号。

$$X(\omega)=\int_{-\infty}^{\infty}x(t)\mathrm{e}^{-\mathrm{i}\omega t}\mathrm{d}t \tag{2.18}$$

式中，$\omega=2\pi f$，f表示频率；$X(\omega)$为非周期信号，并且具有连续的频率响应。

如果已知频谱信号$X(\omega)$，可以利用式（2.19）的反傅里叶变换公式计算其时域响应。

$$x(t)=\frac{1}{2\pi}\int_{-\infty}^{\infty}X(\omega)\mathrm{e}^{\mathrm{i}\omega t}\mathrm{d}\omega \tag{2.19}$$

2. 一维离散傅里叶变换

为了在计算机上实现傅里叶变换计算，必须把连续函数离散化。离散函数的傅里叶变换称为离散傅里叶变换。

连续信号离散化过程如下。

（1）建立连续时间信号 $x(t)$。

（2）设定采样间隔 Δt。

（3）对连续信号做时域等间隔采样，得到离散序列 $x(k\Delta t)$，k=0,1,2,N−1。

（4）得到具有 N 个元素的离散函数序列 $x(n)$，$x(n)$可以利用式（2.20）计算求得。

$$x(n)=x(t)|_{t=nT_\mathrm{s}} \tag{2.20}$$

式中，T_s表示采样周期，且 $T_\mathrm{s}=1/F_\mathrm{s}$，$F_\mathrm{s}$为采样频率。

因此，一维离散傅里叶变换（DFT）和一维离散傅里叶反变换（Inverse DFT）可表示为：

$$X(\omega')=\sum_{n=-\infty}^{n=\infty}x(n)\mathrm{e}^{-\mathrm{i}\omega' n} \tag{2.21}$$

$$x(n)=\frac{1}{2\pi}\int_{-\pi}^{\pi}X(\omega')\mathrm{e}^{\mathrm{i}\omega' t}\mathrm{d}\omega' \tag{2.22}$$

式中，$\omega'=\omega/F_s$，代表归一化后的频率弧长。

3. 二维离散傅里叶变换

对于一个具有 $M\times N$ 尺度的二维离散函数 $f(x,y)$，(x=0,1,2,M−1；y=0,1,2,N−1)，其离散傅里叶变换可以表示为：

$$F(u,v)=\sum_{x=0}^{x=M-1}\sum_{y=0}^{y=N-1}f(x,y)\mathrm{e}^{-\mathrm{j}2\pi vy/N}\mathrm{e}^{-\mathrm{j}2\pi ux/M} \tag{2.23}$$

对于一个具有 $M\times N$ 尺度的二维离散函数 $F(u,v)$,(u=0,1,2,M−1; v=0,1,2,N−1)，其离散反傅里叶变换可以表示为：

$$f(x,y)=\frac{1}{\sqrt{MN}}\sum_{u=0}^{u=M-1}\sum_{v=0}^{v=N-1}F(u,v)\mathrm{e}^{\mathrm{j}2\pi vy/N}\mathrm{e}^{\mathrm{j}2\pi ux/M} \tag{2.24}$$

在运用计算机进行二维离散傅里叶变换时，可先对每一行或者每一列进行一维的离散傅里叶变换，然后对上一步的计算结果再进行列或者行的一维离散傅里叶变换，具体步骤不再赘述。通过观察不难发现，二维离散傅里叶变换具有许多非常实用的性质，主要包括可分离性、平移性、线性特性、比例特性、周期性和共轭对称性、微分特性、旋转特性等，因此，在数字图像处理领域同样发挥着重要的作用。

FFT 是根据 DFT 的奇、偶、虚、实等特性，对 DFT 的算法进行改进获得的。FFT 的基础原理是把已知的 N 点序列，按顺序分解成一系列的短序列，再利用 DFT 计算式中指数因子所具有的对称性质和周期性质，求出这些短序列相应的 DFT 并进行适当组合，实现重复计算，降低乘法运算次数进而简化结构。当 N 是素数时，可以将 DFT 计算转化为求循环卷积，从而进一步减少乘法次数，提高速度。FFT 在傅里叶变换的理论中并没有发现创新点，但是能够将离散傅里叶变换应用在计算机系统，或者说，在数字系统中已经进了一大步。FFT 的结果具有对称性，通常只需要利用前半部分的结果即可，即小于采样频率一半的结果。

2.4.2 图像变换

在计算机视觉领域，所谓的图像变换技术，就是为了更加快速有效地处理和分析图像。首先，需要通过某种形式将原定义在图像空间的图像转化到另外的空间，然后利用空间的特性对图像进行一定的加工，最后再转换回图像空间得到所需的效果。许多图像处理和分析技术都是以图像变换技术为背景的，上文提到的傅里叶变换是应用最广泛和重要的图像变换手段之一。为了提高运算速度，计算机中多采用快速傅里叶变换算法。

对于数字图像而言，图像变换的作用对象为一个个独立的像素点，每一个像素点的值由多个通道的数值组合表示，而图像变换就是针对这些具体的像素值来操作的。在后面的实验章节，我们将结合 Python 语言及工具库，对几种比较简单的图像变换方法进行实验验证。

教材配套演示实验中包含了计算机视觉中经常使用的两个图像变换实例。为方便理解，现对这两个变换的基本原理进行简单的讲解。

1. Gamma 变换

Gamma 变换是对输入图像灰度值进行的非线性操作，使输出图像灰度值与输入图像灰度值呈指数关系，这个指数即 Gamma。变换公式如下：

$$V_{\text{out}} = AV_{\text{in}}^{\gamma} \tag{2.25}$$

其中，V_{in} 的取值范围为 $0\sim1$，因此，在程序中需要先进行归一化处理，然后再进行指数运算。

人眼对外界光源的感光值与输入光强二者之间满足指数型关系。换句话说，就是在低照度下，人眼更容易分辨出亮度的变化，但光照强度的逐渐增加使得人眼不易分辨出亮度的变化，但是摄像机感光与输入光强二者之间满足线性关系。Gamma 变换主要用于图像增强，可以提升图像黑暗部分细节的亮度。简单来说，就是通过非线性变换，让图像从曝光强度的线性响应变得更接近人眼感受的响应，即对过曝或曝光不足的图片进行矫正。

输入值经过 Gamma 变换后输出的图像灰度值关系如图 2-1 所示：横坐标表示输入灰度值，纵坐标表示输出灰度值，上方曲线表示的是 gamma 值小于 1 时的输入输出关系，下方曲线表示的是 gamma 值大于 1 时的输入输出关系。从图 2-1 可以看出，当 gamma 值小于 1 时，图像的整体亮度值得到提升，同时低灰度处的对比度得到增加，因而更利于分辨低灰度值时的图像细节。

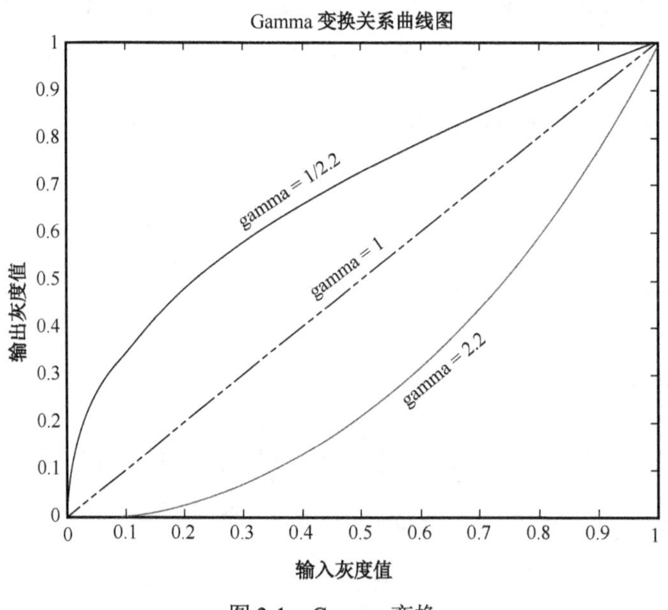

图 2-1　Gamma 变换

Gamma 变换规律可以总结如下：

gamma>1，较亮的区域灰度被拉伸，较暗的区域灰度被压缩得更暗，图像整体变暗；

gamma<1，较亮的区域灰度被压缩，较暗的区域灰度被拉伸得较亮，图像整体变亮。

2. 卷积

卷积，有时也叫算子。用一个模板去和另一个图片对比，进行卷积运算，目的是使目标与目标之间的差距变得更大。卷积在数字图像处理中常见的应用为锐化和边缘提取。例如边缘提取，假如目标像素点和它周边的值有较大差异，就可以通过这个算子对原图矩阵中的这个位置进行卷积运算，得出的值和该像素点原来的灰度值会有显著的差异。当这种前后差异超过我们预设的范围后，就将这个像素点标记为 0（白色），其余点标记为 255（黑色），这样就得到了一幅以黑色为背景，白色线条作为边缘或形状的边缘提取效果图。

几个常用术语如下。

模板。模板就是一个矩阵（其实就是下面说的卷积核），也就是处理图像这个过程对应的函数，它对应卷积运算。

卷积运算。它可以看作加权求和的过程，为了增强图像和减少噪声，用该像素点的邻域像素点进行加权，处理完之后得到这个点的像素点。

卷积核。上面说的卷积运算，需要确定点的邻域和哪个矩阵进行加权，以及邻域内像素点所占的权重是多少。这些权重构成的矩阵就叫卷积核，卷积核的行数和列数都是奇数。

举例来说，对于数字图像来说，已知矩阵 $\boldsymbol{R}$ 和 $\boldsymbol{G}$，如果要对 $R5$ 这个像素点进行卷积运算，有式（2.26）成立，这个卷积核的数组直接决定卷积的结果。

$$\boldsymbol{R}=\begin{bmatrix} R1 & R2 & R3 \\ R4 & R5 & R6 \\ R7 & R8 & R9 \end{bmatrix},\quad \boldsymbol{G}=\begin{bmatrix} G1 & G2 & G3 \\ G4 & G5 & G6 \\ G7 & G8 & G9 \end{bmatrix}$$

$$R5 = R1G1 + R2G2 + R3G3 + R4G4 + 5G5 + R6G6 + R7G7 + R8G8 + R9G9 \quad (2.26)$$

使用卷积核的时候会出现一个问题——边界问题：当处理图像边界像素时，如果卷积核不能匹配于图像使用区域，卷积核的中心与边界像素点对应，卷积运算会出现问题。一般可以选择如下两种处理方法：

（1）忽略边界像素，即处理后的图像将丢掉这些像素；

（2）保留原边界像素，即复制边界像素到处理后的图像。

2.5 Python 基础

Python 是计算机程序设计语言中的一种，它是一种面向对象的动态类型语言，其设计初衷是为了编写自动化脚本（shell），不断更新的版本和逐渐扩充的语言功能使 Python 越来越多地应用于开发独立的大型项目。Python 是一种具有解释功能的脚本语言，这也是它自 20 世纪 90 年代初诞生至今，成为最受欢迎的程序设计语言的原因之一。自 2004 年以来，Python 的使用率直线上升。Python 的语言简洁、易读，并可以进行一定的扩展，国外越来越多做科学计算的研究机构都在使用 Python，Python 也作为程序设计课程逐渐走进大学课堂。除了 Python 专用的科学计算扩展库，许多开源的科学计算软件包也都提供了 Python 的调用接口。例如，以后会涉及的科学计算扩展库（NumPy、SciPy 和 matplotlib），它们分别为 Python 提供了快速数组处理、数值运算及绘图功能。所以，Python 语言及其众多的扩展库构成了一个十分适合工程技术人员、科研人员处理实验数据、制作图表，甚至开发科学计算应用程序的环境。

Python 清晰划一的风格，使得它成为一门易读、易维护、易接受、用途广泛的计算机程序设计语言。其作者有意设计了一些限制性很强的语法，可以强制纠正不好的编程习惯，如 Python 的缩进规则。Python 中对模块的界限，完全是由每行的首字符在这一行的位置来决定的，这使得程序更加清晰和美观。

Python 具有一定的可扩充性，并非将所有的特性和功能都集成到语言核心。它提供了丰富的 API 和工具，这样程序员能够使用 C 语言、C++、Python 来轻松地编写扩充模块。

很多人把Python作为一种“胶水语言（glue language）”使用，因为Python编译器可以被集成到其他需要脚本语言的程序内，所以，它也可以集成和封装其他语言编写的程序。

Python是以C语言为底层编写而成的，由于很多标准库和第三方库也都是用C语言写的，所以运行速度非常快，而且庞大的Python标准库可以处理各种工作，包括正则表达式、文档生成、XML、网页浏览器、单元测试、CGI、数据库、电子邮件、XML-RPC、WAV 文件、线程、HTML、密码系统、GUI（图形用户界面）、FTP、Tk 和其他与系统有关的操作。这被称作Python的“功能齐全”理念。其他许多高质量的库，如wxPython、Twisted和Python图像库等也都可以发挥一定的作用。

2.5.1 编程基础

为了方便对实验代码的理解，下面简单介绍一下Python语言常用的语法及规则。

1. 数学运算

Python与C、Java使用相似的运算符，支持整数与浮点数的数学运算。同时还支持复数运算与无穷位数（实际受限于计算机能力）的整数运算。除了求绝对值函数abs()，大多数数学函数处于math和cmath模块内。math用于实数运算，cmath用于复数运算。在使用时需要先利用import导入它们，语句如下：

```
>>> import math
```

2. 控制语句

if语句，当条件成立时运行语句块，经常与else,elif（相当于else if）配合使用。

for语句，遍历列表、字符串、字典、集合等迭代器，依次处理迭代器中的每个元素。

while语句，当条件为真时，循环运行语句块。

try 语句，与 except,finally 配合使用处理在程序运行中出现的异常情况。

class 语句，用于定义类型。

def 语句，用于定义函数和类型的方法。

pass 语句，表示此行为空，不运行任何操作。

assert 语句，用于程序调试阶段时测试运行条件是否满足。

yield 语句，在迭代器函数内使用，用于返回一个元素。

raise 语句，制造一个错误。

import 语句，导入一个模块或包。

from import 语句，从包导入模块或从模块导入某个对象。

import as 语句，将导入的对象赋值给一个变量。

in 语句，判断一个对象是否在一个字符串/列表/元组里。

3. 表达式

Python 的表达式写法与 C/C++类似，只是在某些写法上有所差别。

（1）算数运算符。表 2-1 列出了 Python 常用的算数运算符及其用法。

表 2-1 常用算数运算符

符　号	用　法	符　号	用　法	符　号	用　法
+	加法、取正	%	取余	<	小于
-	减法、取负	>>	右移	==	等于
*	乘法	<<	左移	!=	不等于
/	除法	&	与	<=	小于等于
//	整除	|	或	>=	大于等于
**	乘方	^	非		
~	取补	>	大于		

（2）逻辑运算符。Python 使用 and, or, not 表示逻辑运算。

（3）匿名函数。使用 lambda 表示匿名函数，匿名函数体只能是表达式。下面的语句表示定义一个函数，实现两个数相加：

```
>>> add=lambdax,y:x+y
>>> add(5,7)
12
```

（4）y if code else x 表达式：当 code 为真时，表达式的值为 y，否则，表达式的值为 x。

（5）列表（list）和元组（tuple）。列表和元组都是包含多个元素的变量，但是在表述和使用方面二者存在一定的差异，如 list 的写法是[1,2,3]，tuple 的写法则不同，而是（1,2,3）；list 可以对其中的元素做一定的改变，而 tuple 不能；在某些情况下，tuple 的括号可以省略；tuple 可以利用特殊的方法处理赋值语句，可以给多个变量同时赋值，如：

```
>>> x,y=1,2
```

表示同时给 x,y 赋值，最终结果为 x=1,y=2。

特别地，可以使用以下这种形式来交换两个变量的值：

```
>>> x,y=y,x #
```

最终结果为 y=1,x=2。

（6）使用单引号和双引号来表示字符串。若字符串中出现了双引号，就使用单引号来表示字符串，反之则使用双引号；如果两者都没有出现，就可以根据个人喜好进行选择。字符串中的“\”（反斜杠）表示特殊字符，例如，换行符表示为“\n”。

（7）列表切割：获取完整列表的一部分元素。支持切割操作的类型有字符串、字节、列表、元组。切割语句为：[left:right]或者[left:right:stride]。举例说明：设 num 变量的值是[1, 3, 5, 7, 8, 13, 20]，则下列语句及执行后的结果为：

执行 num[1:4]，输出[3, 5, 7]，即从下标为 1 的元素切割到下标为 4 的元素，但不包含下标为 5 的元素。

执行 num[1:]，输出[3, 5, 7, 8, 13, 20]，即切割到最后一个元素。

执行 num[:-2]，输出[1, 3, 5, 7,8]，即从最开始的元素一直切割到倒数第 2 个元素。

执行 num[:]，输出[1, 3, 5, 7, 8, 13, 20]，即返回所有元素。

执行 num[1:5:2]，输出[3, 7]，即从下标为 1 的元素切割到下标为 5 的元素，且步长为 2。

2.5.2 Numpy

NumPy 是 Python 的一种开源数值计算扩展工具包，可以用来存储和处理大型的矩阵对象。它包含了许多高级的数值编程工具，如矢量处理、矩阵数据类型和精密的运算库，可以专门进行严格的数字处理。

NumPy 提供了一个 *N* 维数组类型 ndarray，它描述了相同类型的“items”的集合。ndarray 在存储数据时，数据与数据的地址都是连续的，这样就使得批量操作数组元素时速度更快。因为 ndarray 中所有元素的类型都是相同的，而 Python 列表中的元素类型是任意的，所以 ndarray 在存储元素时内存可以连续，而 Python 原生 list 就只能通过寻址方式找到下一个元素，这虽然导致了在通用性能方面 Numpy 的 ndarray 不及 Python 原生 list，但在科学计算中，Numpy 的 ndarray 就可以省掉很多循环语句，代码使用方面比 Python 原生 list 简单得多。

2.5.3 Pandas

Pandas 是基于 NumPy 的一种工具包，同样是 Python 的一个数据分析工具包，创建该工具包的目的是为了解决数据分析任务，更有效地支持时间序列分析。AQR Capital Management 最初于 2008 年 4 月开发了 Pandas，于 2009 年年底开源出来，由专注于 Python

数据包开发的 PyData 开发团队继续负责后续的开发和维护，属于 PyData 项目的一部分。Pandas 纳入了大量能使我们快速便捷处理数据的函数和方法，以及一些标准的数据模型，是使 Python 成为强大而高效的数据分析环境的重要支撑。

Pandas 数据结构简单，列写如下。

（1）Series。一维数组，类似于 Numpy 中的一维 array。与 Python 基本的数据结构 List 也有相似之处。Series 可以保存不同种类的数据类型，如字符串、布尔值、数字等。

（2）Time-Series。以时间为索引的 Series。

（3）DataFrame。表格型的二维数据结构。

（4）Panel。三维数组。

2.5.4 SciPy

SciPy 是一个用于数学、科学、工程领域的常用软件包，可以处理插值、积分、优化、图像处理、常微分方程数值解的求解、信号处理等问题。它用于有效计算 Numpy 矩阵，使 Numpy 和 SciPy 协同工作，高效解决问题。SciPy 由针对特定任务的子模块组成，如表 2-2 所示。

表 2-2 SciPy 常用任务子模块

模块名	应用领域	模块名	应用领域
scipy.cluster	向量计算	scipy.ndimage	N 维图像包
scipy.constants	物理和数学常量	scipy.optimize	优化
scipy.fftpack	傅里叶变换	scipy.signal	信号处理
scipy.integrate	积分程序	scipy.spatial	空间数据结构和算法
scipy.interpolate	插值	scipy.special	一些特殊的数学函数
scipy.io	数据输入输出	scipy.stats	统计

2.5.5 其他工具包

（1）Matplotlib

Matplotlib 是 Python 的绘图库，可与 NumPy 一起使用，提供了一种有效的 MatLab 开源替代方案，也可以和图形工具包一起使用，如 PyQt 和 wxPython。

（2）Seaborn

Seaborn 是一个以 Matplotlib 为基础的图形可视化 Python 包，它的出现提供了一种高度交互式界面，便于用户做出各种有吸引力的统计图表。

Seaborn 是以 Matplotlib 为基础进行更高级的 API 封装的，使作图变得更加容易。一般情况下，使用 Seaborn 能做出具有吸引力的图，Matplotlib 的加入使制作的图更加有特色。Seaborn 可以视为 Matplotlib 的补充，而不能当作它的替代物，同时，它能高度兼容 Numpy 与 Pandas 数据结构，以及 Scipy 与 Statsmodels 等统计模式。

（3）warnings

Python 通过调用 warnings 模块中定义的 warn()函数来发出警告，警告消息通常用于提示用户一些错误或者过时的用法。当这些情况发生时，我们不希望抛出异常或者直接退出程序。对警告的处理方式可以灵活地更改，例如，忽略或者转变为异常。警告的处理可以根据警告类别、警告消息的文本和发出警告消息的源位置而变化。

警告控制分为两个阶段：首先，当警告被触发时，确定是否应该发出消息；然后，如果需要发出消息，则使用用户可设置的钩子来格式化和打印消息。

警告过滤器可以用来控制是否发出警告消息，它是一些匹配规则和动作的序列。可以通过调用 filterwarnings()将规则添加到过滤器上，并通过调用 resetwarnings()将其重置为默认状态。警告消息的输出是通过调用 showwarning()函数来完成的，其可以被覆盖。该函数的默认实现是通过调用 formatwarning()格式化消息的，这也可以由自定义实现使用。

2.6 本章小结

本章介绍人工智能的数学基础，主要包括空间任意点的位置和姿态的表示，以及 Python 基础等。Python 作为时下热门的编程语言，其与人工智能技术的实现联系非常紧密。所以，本章对该语言基本的语法规则、常用工具库进行了概述，使读者了解 Python 的语言特点、编写方法，加深对教材实验程序的理解。

习题 2

2-1 参数估计的两种方式是什么？

2-2 假设检验实现步骤是什么？

2-3 计算机求解数学问题的步骤是什么？

2-4 编程实现两个数组的算术和逻辑运算。

2-5 什么是模板、卷积核、卷积运算？数字图像中卷积运算是如何实现的？

2-6 编程实现图像的 Gamma 变换。

第三章

人工智能通信技术

3.1 人工智能在通信领域的挑战

随着计算机处理能力的不断提高及云存储领域的最新发展，人工智能这个曾经的科幻概念正在成为一个诱人的现实。目前，各行各业都在探索如何更好地利用人工智能，农业生产、工业制造、医疗健康、交通驾驶、投资金融、文化传播等各个领域都在积极抓住这次发展的浪潮，电信行业也不例外。

在电信行业，电信网络作为信息通信的基础设施，通过人工智能技术和应用，能够提供强大的分析、评判、预测能力等，所以对实施人工智能解决方案的需求非常强烈，但是还没有就实施人工智能的最佳路径达成共识。从网络管理到预测性维护，虽然出现了一些人工智能应用案例，但是不得不承认，电信业对人工智能的应用还面临很多挑战。

利用人工智能产品和服务，一些通信服务提供商（Communications Service Providers，CSP）已经开始以多种方式实施人工智能解决方案。其中，一些服务旨在将由人工管理员管理电信网络的网络运营中心（NOC）转变为服务运营中心（SOC），在这些服务运营中心里由人工智能提供分析和闭环自动化。

人工智能提供的机会可以分为两大类：网络管理和运营，以及以客户为中心。很明显，网络管理实际上有很多可能的需求可以从人工智能解决方案中受益，以应对迅速扩大的连接设备和用户数量，即使是面向客户的 CSP 终端业务也能从人工智能技术中获得巨大收益，因为客户将越来越需要个性化服务。通过人工智能改善以客户为中心的一些方法主要涉及智能客户关怀方面：数据和人工智能分析技术可用于帮助客户结算；设备入网、故障排除和其他服务可以防止客户流失。人工智能还可以用于智能营销，例如，个性化优惠策略可以赢得客户、确定平台参与度、OTT 追加销售等。

下一代网络将会采用人工智能技术。聊天机器人（Chatbots）是最终以客户为中心的人工智能解决方案。它是自动化的客户支持，无须操作人员即可智能地解决问题。聊天机器人能让 CSP 受益，这些 CSP 可以减少所需员工的数量，以及为客户提供可以立即获得的个性化帮助。TM Forum 调查的 CSP 中有 30% 表示他们已经部署了聊天机器人，1/7 的 CSP 已经将一些客户服务代理重新部署，能够完成具有更高价值的任务，包括 SK Telecom、Telefonica 和 Orange 在内的一些 CSP 已经开始通过引入语音助理来移动聊天机器人。消费者已经熟悉语音助理的概念，并迅速习惯于 Siri、Alexa、Google Assistant 和其他智能语音助理系统。对于 CSP 来说，语音助理可以为客户提供最高水平的个性化和友好的支持。

尽管人工智能有很多好处，并且 CSP 渴望得到它们，但到目前为止，CSP 难以推出有效的人工智能解决方案。由于人工智能技术相对不成熟，影响所有相关行业的一系列实施，并且存在一些挑战，特别是电信行业面临的一些挑战，随着商业智能解决方案数量的不断增加，要跟上业务发展最佳解决方案的步伐是很难的。人工智能的另一大障碍是人工智能软件，以及数据分析方面专业知识相对缺乏。尽管人工智能专家数量有限将会对所有行业的应用构成挑战，但电信行业可能更容易受到这一问题的困扰。如果没有适当的激励措施，计算机科学家和数据分析专家可能会倾向于在其他行业应用他们的技能，这可能意味着 CSP 最终将不得不寻找合作伙伴来帮助他们推出人工智能解决方案。在 CSP 领域还存在其他一些担忧，例如，网络的控制权、人工智能的技术标准，以及核心员工流失率等因素，都在限制着人工智能技术的发展。但当我们找到了解决这些问题的方法后，人工智能在通信行业的应用将会取得突飞猛进的进展。

由于人工智能的潜在益处与其本身具有相同的重要性，因此，CSP 必须尽早采用人工智能解决方案，尽早进入人工智能的大门，以便在不断变化的电信环境中抢占有利的竞争位置。

幸运的是，CSP 可以使用许多策略采用人工智能技术。首先，CSP 应该尽可能多地了解人工智能技术的当前可能性。这需要寻找可能的合作伙伴，尝试人工智能解决方案，并加入标准组织和其他相关机构。CSP 还应该通过反思他们的数据，为人工智能解决方案铺平道路。数据是人工智能的种子，因此，CSP 应该尽其所能去除数据孤岛，并通过 API 互连互通数据资源。通过标准化数据收集和管理，CSP 将更好地与人工智能合作伙伴开展业务，并开始有效地使用人工智能技术。

为了将人工智能更加快速地应用于行业中，通信网络与人工智能融合的呼声强烈，世界各个标准化组织都以此为背景开展相应的活动。2017 年 10 月，ISO/IEC JTC1 正式成立新的人工智能分技术委员会，进行人工智能相关的标准研究工作。2018 年 4 月 18—20 日，人工智能分技术委员会第一次全会在北京成功召开。而在此之前，ISO/IEC JTC1 已经发布了 100 余项人工智能的相关标准，基本形成了较为完备的标准体系。

欧洲电信标准协会于 2017 年 2 月成立了 ISG-ENI。2018 年 1 月，ETSI 又建立了 ISG-ZSM，其中有 40 多个单位或组织都投入到网络切片管理等研究上。随后，ETSI 发布了《自动化下一代网络中的网络和服务操作的必要性和益处白皮书》，强调 5G 网络中服务管理、运营自动化的目标。

国际电信联盟-电信标准化部门在 2017 年 11 月成立了未来网络机器学习焦点组（FG-ML5G）。IEEE 在 2017 年 11 月下旬，发布了包括“机器化系统、智能系统和自动系统的伦理推动标准”“自动和半自动系统的故障安全设计标准”“道德化的人工智能和自动系统的福祉标准”在内的 3 项人工智能领域标准。2017 年 5 月，3GPP SA2#121 会议上，基于 Big Data/AI 的 FS-eNA 立项通过，2018 年 6 月，中国移动牵头立项 3GPP RAN 大数据应用研究。前者主要关注用于网络数据分析的必要数据及必要的输出数据，后者则面向无线大数据的采集与应用。

3.2 人工智能在通信领域的应用

随着人工智能技术的不断升级，基于语音识别、语义理解和计算机视觉等基础的应用广泛地出现在生产和生活的各种场景之中。智能语音识别技术、意图理解技术、机器学习及大数据分析技术的逐步应用，满足了人工智能与金融、医疗、教育、工业等多个行业之间的相互融合。

1. 智慧城市

智慧城市是城市化与信息化之间的高度融合的表现，它推动着经济转型、产业升级及城市建设的提升。未来的城市建设、城市治理如何与互联网、大数据、人工智能相结合已成为城市建设者、管理者高度关注的话题。总体来说，新型智慧城市建设是以大数据为基础的，而在建设的过程中也必将产生更多的数据。目前，我国城市信息化建设在某种程度上还存在“碎片化”“散点化”现象，如何建设城市信息模型平台，推进城市大数据的汇聚就成为利用信息化建设智慧城市的重点之一。所谓的通信数字化转型，实际上就是在能源与经济等外部环境压力下，当技术发展到可以解决的时候，就会催生出行业需求。

2. 智慧手机

在当前的“智能”社会中，通信数字化进程不断加快，数字化转型也应运而生，利用现代化技术和通信手段，打破了传统的客户与企业创造价值的方式。人工智能的出现，带来了颠覆性的体验，在人工智能的协助下，智能手机必定会升级为智慧手机。按照相关人士的预测：到 2025 年，90%的终端客户都能够从智慧手机智能化与个性化服务中获取利益。目前，国内也在酝酿整合具有芯片与云的核心技术能力，以满足广大用户的智慧体验。

3. 智慧电视

在 5G 即将到来的时刻，不仅可以提供超高清视频，而且可以支持海量的机器通信。其超低延时与超高可靠性将会得到完全的体现。人工智能电视不仅操作简单，能够与人对话，同时也可以利用大数据来实现自主判断，最终渗透到不同的生活领域中。

4. 网络异常流量检测

计算机网络是现代人生活中不可或缺的一部分，随着网络技术的不断发展和网络拓扑结构的日益复杂，这种新鲜的生活方式给人们带来了极大便利，同时也带来了威胁。手机监听、数据泄露、钓鱼攻击等大规模的网络威胁事件层出不穷，无论是对国家的经济，还是对人们的生活都产生了严重的影响，网络安全问题逐渐成为人们关注的问题。目前，人工智能已经应用于恶意代码检测、恶意流量监测、威胁情报收集、软件漏洞挖掘等网络安全领域。网络异常流量检测思想原理的第一步是获取和分析网络上传输的原始数据，当网络中出现攻击的时候，网络流量就会发生不正常的变化，以之前网络正常流量为安全基线对网络中的各个设备进行实时监测，对异常流量进行告警，并记录在告警日志中，并对网络发生的错误和攻击进行监测和隔离，为用户提供安全可靠的服务。

5. 智能运维

智能运维的主要作用是进行实时监控、实时报警、异常检测、故障根源分析和趋势预测等。通过同步运维数据，将平台数据集中起来进行优化，分析和处理海量的数据，达到动态监控的目的，从多维度、多数据源对现场操作和维护指标的特征进行记录，实时预警，及时对关键的监测点制订动态检查计划。数据挖掘技术可以提早发现，并主动预防可能出现的问题，以达到提升运维效率的目的。

6. 故障溯源

近年来，电信网络系统的规模逐渐扩大，复杂度也相应提升，使得运维人员必须要面对各种各样高度集成的设备产生的大量实时信息，这导致维护变得越来越繁重和复杂。运维人员无法在现有系统的帮助下及时发现和解决异常情况下的问题，导致问题不断传播，甚至升级，最终影响所有业务的完成。发现问题、分析问题根源、得出解决方案都需要一定的时间，如果问题得不到及时解决，问题带来的影响可能有扩大化的趋势。人工智能技术可以全局监控通信网络，及时发现和处理可能出现的问题，对报警中的关键信息进行适当的分析和处理，并确保灵活的信息过滤和可追溯性。通过对告警信息进行过滤、匹配，确定并分类、关联，屏蔽低级别报警，及时诊断网络故障，协调通信服务模式和网络拓扑结构，并准确定故障。建立故障分析模型，最终实现可追溯性。

3.3 语音识别技术

各种终端设备的智能化和集成化程度越来越高，传统的信息检索和菜单操作方式已经无法满足用户的需求。如果计算机可以通过识别和理解人类的词汇语言，将语音信号转化为相应的文本或命令，就可以大大提高工作效率。这与说话人识别及说话人确认有所区别，前者是识别语言中所包含的词汇内容，而后者是尝试识别或确认发出语音的说话人。

3.3.1 国外发展概述

自动语音识别的设想早在计算机发明之前就已经被提出了，它的雏形就是早期的声码器。20 世纪 50 年代，AT&T 贝尔实验室开发的 Audrey 语音识别系统是最早的基于电子计算机的语音识别系统。它通过对语音中的共振峰进行跟踪，其正确率可以达到 98%。20 世纪 50 年代末，伦敦学院的 Denes 在语音识别中又加入了新元素——语法概率。20 世纪 60 年代末至 20 世纪 70 年代初，计算机技术进入飞速发展的时期，对于语音识别的软硬件开发也步入正轨，语音信号线性预测编码（LPC）技术的出现有效地解决了语音信号的特征提取问题，随后的动态时间规整（DTW）也使语音信号不等长匹配的问题得到了优化。早期，语音的识别范围有限，只实现了基于线性预测倒谱和 DTW 技术的特定人孤立词语音识别系统；同时提出了矢量量化（VQ）和隐马尔可夫模型（HMM）理论。

应用领域的不断扩大，要求放宽对小词汇表、特定人、孤立词等这些对语音识别的约束条件，这也出现许多新的问题，导致原有的模板匹配方法不再适用。

（1）模板的选取和建立由于词汇表的不断扩大而变得更加复杂；

（2）人们在实际情况下的自然对话，生成的都是连续的语音，语音中各个音素、音节及词之间没有明确的界限，前一个音可能会受到前后相邻语音的影响而发生微小的变化，导致计算机无法进行准确辨别；

（3）每个人说相同的话的效果是完全不同的，即使是同一个人，在不同时期、不同的生理、心理状态下也都无法说出相同的话；

（4）背景噪声或其他干扰影响语音的识别。

20 世纪 80 年代末，实验室语音识别研究有了重大突破：在实验室的条件下，大词汇量、连续语音和非特定人这三个问题都被一一破解。

同样在 20 世纪 80 年代，AT&T Bell 实验室 Rabiner 等科学家将 HMM 模型广泛应用在许多场合，原本晦涩难懂的 HMM 纯数学模型逐渐被工程化，并被更多的专家和研究者所了解和接受，应用统计成为此后的语音识别技术中的重要方法。

微观向宏观的巨大转变使得研究者以整体平均（统计）为基础建立了性能最佳的语音识别系统。在声学模型方面，以 Markov 链为基础的语音序列建模方法 HMM 比较有效地解决了语音信号短时稳定、长时时变的特性，达到了比较高的建模精度和建模灵活性。在语言层面上，通过统计真实大规模语料的词之间出现概率来区分识别带来的模糊音和同音词。

20 世纪 90 年代前期，许多著名的大公司都投入了大量的资金支持语音识别系统的实用化研究。语音识别的准确率在 20 世纪 90 年代中后期实验室研究中得到了不断的提高。其中，IBM 公司于 1997 年开发出汉语 ViaVoice 语音识别系统，次年又开发出可以识别上海话、广东话和四川话等地方口音的语音识别系统 ViaVoice'98。

3.3.2 国内发展概述

中国语音识别研究工作虽然起步较晚，但发展速度很快，逐渐从实验室向生产、生活推广。中国在这方面的研究已经基本上赶上了国外水平，并且根据汉语语音的特点，还有自己的特点与优势，已经跻身国际先进行列。

清华大学电子工程系语音技术与专用芯片设计课题组，研发的非特定人汉语数码串连续语音识别系统的识别精度已经达到 94.8%（不定长数字串）和 96.8%（定长数字串）。

尽管还存在5%的拒识率，但系统识别率还是达到了96.9%（不定长数字串）和98.7%（定长数字串），这是目前国际上最好的识别结果之一，几乎达到了实用水平。Pattek是2002年6月底由中科院自动化所推出的语音识别产品，它的出现打破了中文语音识别产品自1998年以来一直由国外公司垄断的历史。这一系列产品识别率高，对环境噪声和口音都有很强的适应能力。

3.3.3 系统分类

语音识别系统根据不同的分类方式将输入语音的限制分为以下几类。

1. 说话者与识别系统的相关性

特定人语音识别系统仅识别专人的语音；非特定人语音系统所能够识别的语音与人无关，识别系统需要学习大量不同人的语音数据库；能识别一组人的语音的系统称为多人的识别系统，该系统仅要求学习识别特定组别人的语音。

2. 说话的方式

孤立词识别系统要求输入每个词后要停顿一下；连接词输入系统要求对每个词都清楚发音，但可能会出现一些连音现象；当输入是自然流利的连续语音输入时，大量连音和变音出现时需要连续语音识别系统。

3. 识别系统的词汇量大小

根据识别系统的词汇量大小可将系统分为小词汇量、中等词汇量、大词汇量语音识别系统，从小到大分别包括几十个词、几百个词到上千个词、几千到几万个词。

3.3.4 核心技术

隐马尔科夫模型（Hidden Markov Model）的应用是语音识别技术领域的重大突破。首先由 Baum 提出相关数学推理，然后 Labiner 等人进行了不断的深入研究，最后卡内基梅隆大学的李开复实现了 Sphinx，这是第一个基于隐马尔科夫模型的非特定人大词汇量连续语音识别系统。

目前，主流的大词汇量语音识别系统多采用统计模式识别技术。典型的基于统计模式识别方法的语音识别系统由以下 5 个基本模块构成。

（1）信号处理及特征提取模块。

模块从输入信号中提取可供声学模型处理的特征，利用一些信号处理技术降低环境噪声、信道、说话人等因素的影响。

（2）统计声学模型。典型系统多采用基于一阶隐马尔科夫模型进行建模。

（3）发音词典。发音词典包含系统所能处理的词汇集及其发音。发音词典实际提供了声学模型建模单元与语言模型建模单元间的映射。

（4）语言模型。语言模型对系统所针对的语言进行建模，目前各种系统普遍采用的还是基于统计的 N 元文法及其变体。

（5）解码器。根据声学、语言模型及词典，寻找能够以最大概率输出该输入信号的词串。

我们从数学角度来了解一下上述模块之间的关系。首先，统计语音识别的最基本问题是给定输入信号或特征序列、符号集（词典），求解符号串，使得

$$W = \arg\max P(W \mid O) \tag{3.1}$$

通过贝叶斯公式，上式可以改写为：

$$W = \arg\max P(O \mid W)P(W) \tag{3.2}$$

输入串 O，$P(O)$是确定的，省略它并不会对上式的最终结果造成影响。因此，上面的公式可以用来表示一般的语音识别所讨论的问题，所以将它称为语音识别的基本公式。

3.3.5 识别方法

1. 语音识别方法

语音识别的方法可以分为以下三种。

（1）基于语音学和声学。

在刚开始提出语音识别技术时，就已经有了这方面的研究，但由于其复杂的模型和语音知识，无法实现实用化推广。

通常将语言理解为由有限个不同的语音基元组成的整体，可以利用其语音信号的频域或时域特性，通过两步来区分。

第一步，分段和标号。首先，把语音信号以时间为基准分成离散的段，不同段具有不同语音基元的声学特性。然后，根据相应声学特性将每个分段进行相近的语音标号。

第二步，得到词序列。将所得的语音标号序列转化成一个语音基元网格，从词典查询有效的词序列，或结合句子的文法和语义同时进行。

（2）模板匹配。

目前，相较于基于语音学和声学的方法，模板匹配已经进入实用阶段。模板匹配方法会经历四个主要步骤：特征提取→模板训练→模板分类→判决。

常用的技术有三种。

A. 动态时间规整（DTW）。动态时间规整技术具有一定的历史，一开始是为了衡量两个长度不同的时间序列是否相似，广泛应用在模板匹配中。在实际应用中，由于不同人的语速不同，需要进行对比的两段时间序列可能并不等长，所以语音信号具有相当大的随机性。语音信号端点检测是特征训练和识别的基础，就是定位语音信号中的各种段落始点和终点的位置，并从语音信号中排除无声段。在早期的研究中，主要根据能量、振幅和过零率来进行端点检测，但效果往往差强人意。后来出现了动态时间规整算法，可以把未知量均匀地延长或缩短至与参考模式一致的长度，对未知量进行相对优化，实现与模型特征对正的目的。

B. 隐马尔可夫法（HMM）。隐马尔科夫模型是马尔可夫链的一种，是一种能通过观测向量序列观察到的统计分析模型。20 世纪 70 年代，引入语音识别理论的隐马尔可夫法使得自然语音识别系统取得了实质性的突破。语音识别技术中应用的隐马尔可夫模型通常是自左向右单向、带自环、带跨越的拓扑结构，大多数大词汇量、连续语音的非特定人语音识别系统都是以隐马尔可夫模型为基础展开的。一个音素就是 3～5 个状态的 HMM，一个词就是由多个音素组成的，对语音信号的时间序列结构建立统计模型，将其看作一个数学上的双重随机过程。

C. 矢量量化。矢量量化（Vector Quantization，VQ）是一种重要的信号压缩方法。矢量量化主要适用于小词汇量、孤立词的语音识别。其过程是：将语音信号波形的 k 个样点的每一帧，或有 k 个参数的每一参数帧，构成 k 维空间中的一个矢量，然后对矢量进行量化。量化时，将 k 维无限空间划分为 M 个区域边界，然后将输入矢量与这些边界进行比较，并被量化为“距离”最小的区域边界的中心矢量值。

（3）神经网络

可以将神经网络看作一个能够模拟人类神经活动的自适应非线性动力学系统。由于训练、识别时间太长，研究人员还需要进一步的实验探索。

由于简单的 ANN 不能很好地描述语音信号的时间动态特性，研究人员开始将 ANN

与传统识别方法两者结合，以期望收获更好的识别效果。

2. 基于统计的完整语音识别系统

基于统计的完整语音识别系统大致分为三部分：语音信号预处理与特征提取；声学模型与模式匹配；语言模型与语言处理。

（1）语音信号预处理与特征提取。语音识别研究的第一步是对单元的选择识别。语音识别单元分为单词（句）、音节和音素三种，针对于不同的研究任务，我们需要选择不同的语音识别单元。

单词（句）单元的模型库很庞大，训练模型任务也很重，所以这种单元更适合中小词汇语音识别系统，并不适合大词汇系统。

音节单元广泛应用于汉语语音识别系统，汉语是单音节结构的语言，在不考虑声调的情况下，汉语大概只有 408 个无调音节。所以，以音节为识别单元更适合中、大词汇量汉语语音识别系统。

英语语音识别系统的研究多以音素为单元，越来越多的中、大词汇量汉语语音识别系统也在采用音素单元。音素单元受到协同发音的影响而不稳定。在未来的研究中，这个问题还有待解决。

如何合理地选用特征是语音识别的一个根本性问题。分析处理语音信号、去掉与语音识别无关的冗余信息，在压缩语音信号时，获得影响语音识别的重要信息是提取特征参数的关键。实际上，语音信号的压缩率为 10%～100%。语音信号囊括了各种不同的信息，在考虑多方面要素的基础上才能够完成信息的筛选和提取，如成本、性能、响应时间、计算量等。非特定人语音识别系统希望能够在去除说话人的个人信息的条件下提取反映语义的特征参数；而特定人语音识别系统则想要在提取的信息中反映语义的特征参数和说话人的个人信息。

线性预测（LP）分析技术是目前广泛应用的特征参数提取技术，以 LP 技术为基础提取的倒谱参数已成功应用于许多系统。线性预测的缺点是没有考虑人类听觉系统对语音的处理特点，它只是一个纯数学模型。语音识别系统的性能在 Mel 参数和基于感知线性预测（PLP）分析提取的感知线性预测倒谱两种技术的帮助下有一定提高。目前，考虑了人类发声与接收声音的特性，梅尔刻度式倒频谱参数具有更好的鲁棒性（Robustness），原本常用的线性预测编码导出的倒频谱参数也已经逐渐被它所取代。有研究人员希望在特征提取的应用中尝试小波分析技术，但具体的应用性能还有待后续的研究。

（2）声学模型与模式匹配。声学模型是将获取的语音特征通过训练算法进行训练后产生的。将输入的语音特征同声学模型（模式）进行匹配与比较，以得到最佳的识别结果。

声学模型是识别系统的底层模型，也是语音识别系统中至关重要的一环。声学模型可以提供一种有效的方法计算语音的特征矢量序列和每个发音模板之间的距离。声学模型的设计与语言发音特点之间有着紧密的联系。声学模型单元大小（字发音模型、半音节模型或音素模型）影响着语音训练数据量大小、系统识别率及灵活性。识别单元的大小取决于不同语言的特点和识别系统词汇量的大小。

基于统计的语音识别模型常用的就是 HMM 模型 $\lambda(N,M,\pi,A,B)$，涉及 HMM 模型的相关理论包括模型的结构选取、模型的初始化、模型参数的重估及相应的识别算法等。

（3）语言模型与语言处理。语言模型包括由识别语音命令构成的语法网络，或由统计方法构成的语言模型，可以对语言进行语法、语义分析。

语言模型可以根据语言学模型、语法结构、语义学来判断和纠正分类发生错误时产生的问题，尤其是必须通过上下文结构才能确定词义的同音字。语言学理论包括语义结构、语法规则、语言的数学描述模型等有关方面。目前，比较成功的语言模型通常是采用统计语法的语言模型与基于规则语法结构命令的语言模型。语法结构可以通过对不同词之间的相互连接关系进行限定，以此减少识别系统的搜索空间，从而提高系统的识别性能。

3.3.6 应用与发展

语音识别作为信息技术中人机接口的关键技术，具有非常重要的研究意义和实用价值。人们能够在语音识别技术与语音合成技术的强强联合的帮助下更加便捷地获取和处理信息，提高人们的工作效率。语音识别技术是信息社会朝着智能化和自动化发展的关键技术，它作为新兴高技术产业，具有很强的竞争性。语音识别技术涉及的领域众多，应用也十分广泛，它还可以和其他自然语言处理技术（如机器翻译及语音合成技术）结合，构建更加复杂的应用。

廉价的硬件设备也是语音识别系统快速发展的基础。我们不能忽视语音识别的缺点，由于人们的声音不像指纹那样独特和唯一，与指纹识别系统相比，语音识别系统有着更高的误识率。系统需要协同处理器和比指纹系统更多的效能，才能够更好地进行快速傅里叶变换计算。目前，语音识别系统不适合以电池为电源，如何移动应用该系统将会成为未来的研究方向。

3.3.7 演示实验

基础技术、人工智能技术和人工智能应用是人工智能产业链的 3 个核心环节。其中，基础技术又包括数据存储、数据平台及数据挖掘等；人工智能技术包括图像识别、语音识别、生物识别和自然语言处理等；人工智能应用有智能家居、工业 4.0、智能金融、无人驾驶汽车、智能教育、智能医疗、智能农业及智能营销等。

科技企业推动开源技术和深度学习的发展，人工智能技术不断获得突破。随着人工智能在我国移动互联网、智能家居等领域的发展，我国人工智能产业将持续高速成长。前瞻产业研究院预计，到2022年，中国人工智能行业市场规模将达到680亿元。

工业和学术界一直聚焦于研究如何利用机器学习技术深度理解自然语言。自然语言处理已经成为人工智能的各项领域中比较成熟的技术，各大企业纷纷进军布局。未来3年，成熟化的语音产品有着十分广阔的前景。

本小节将结合百度语音识别API，演示基于百度语音识别平台实现文本信息转换为语音信息的过程，方便读者快速掌握如何基于第三方工具平台开发语音识别系统。“将声音转化成文字，让你的应用长上耳朵”，这是百度语音识别技术的推广语。百度语音开放平台为广大开发者提供精准、免费、安全、稳定的服务。百度语音识别技术使系统更加简单、有效，识别效率也得到了大幅提升。

1. 创建应用

首先，在首页登录已经注册为开发者的百度账号，然后单击页面上方的“应用管理”，进入应用管理页面。如果之前在百度开发者中心创建过应用，则会出现之前曾经创建过的应用；如果之前没有创建过应用，则需要新创建一个应用。

（1）单击右上角，填写应用名称，选择应用垂直类信息，即可创建一个新的应用。

（2）创建成功后，新创建的应用会出现在应用列表上方的位置。

（3）单击“查看 Key”，可以查看当前应用的 App ID、API Key、Secret Key 信息。

2. 开通服务

如果曾经在百度开发者中心管理控制台申请开通了语音技术服务，在这里可以直接使用；对于新创建或从未开通语音技术服务的应用，则需要开通语音技术服务之后才可以使用。

（1）单击应用卡片上的按钮，选择“语音识别”服务进行开通。

（2）“语音识别”服务开通成功后，即可获得 50 000 次/天的在线调用次数配额。

3. 申请提高配额

如果开通服务时，初始分配的在线服务调用配额无法满足需求，可以申请提高配额。

（1）单击对应服务的“管理”，在下拉列表中选择“申请提高配额”。填写详细的预计日调用次数、应用介绍等信息后提交。管理员会在 1 个工作日内完成审核。

（2）如果审核通过，则当前应用该服务的日调用次数将不再受配额限制。如果审核被拒绝，可以再次提交申请。

4. 申请离线授权

选择应用的语音识别的管理菜单，单击“申请离线 License”。选择应用类型为 Android 或者 iOS，填写并提交离线授权所需信息：Android 应用为应用包名和签名 MD5 值；iOS 应用为 Bundle ID。提交成功后即获得离线识别，并被正式授权。

注：请确保填写提交的信息准确，否则，无法通过离线授权验证，导致离线识别不可用。

如果暂时没有应用包名或者签名信息，可以先下载临时 License 文件，并集成到本地项目中进行测试使用。临时 License 有效期为 30 天，失效后请申请正式 License，并从项目中删除临时 License。

5. 开发集成

前往语音识别服务相关下载页面，下载开发所需的 SDK 及开发文档到本地进行集成开发。依次执行如下步骤。

（1）首先注册百度云的账号。登录 https://ai.baidu.com/，注册用户。

（2）在控制台中创建一个应用。

① 登录后单击左侧语音技术（参见图 3-1）。

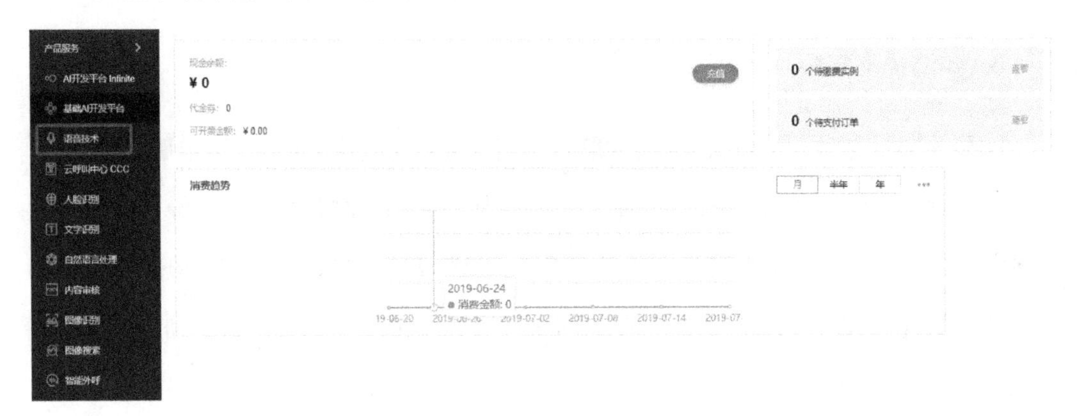

图 3-1　单击左侧语音技术后界面

② 单击创建应用（创建应用界面参见图 3-2）。

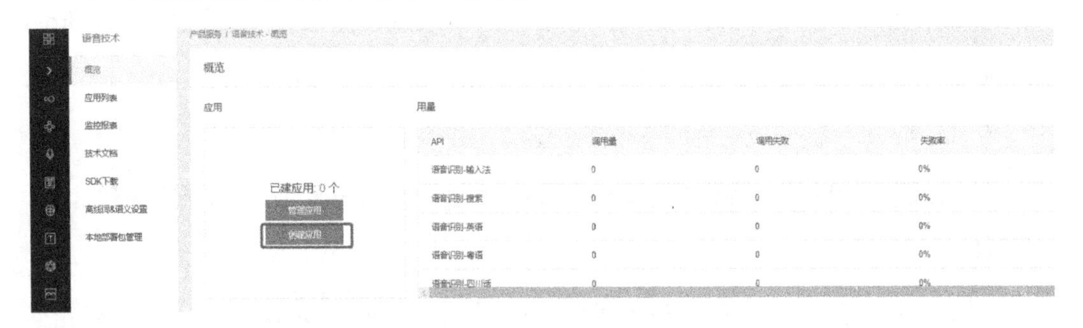

图 3-2　创建应用界面

③ 输入自己想要创建的应用与描述（创建新应用界面参见图 3-3）。

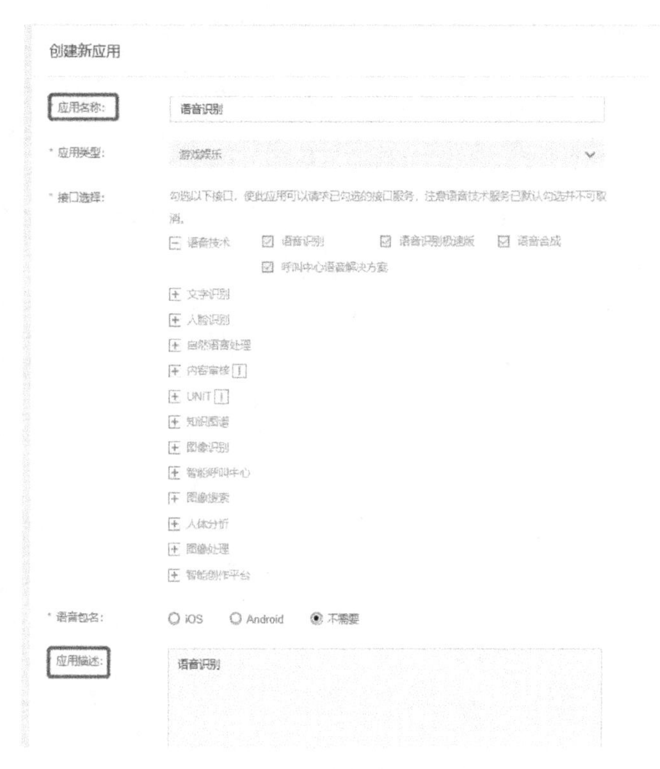

图 3-3　创建新应用界面

④ 创建完毕后，单击下载 SDK（创建完毕界面参见图 3-4）。

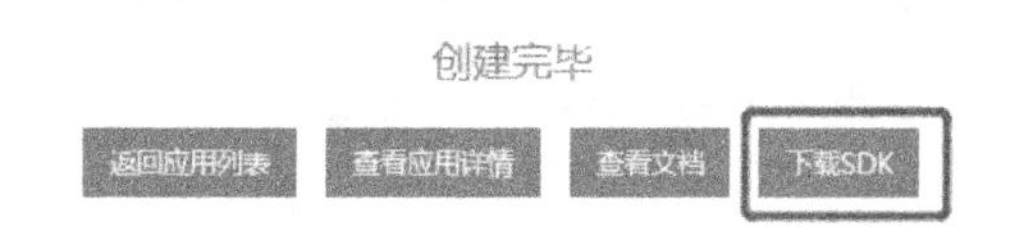

图 3-4　创建完毕界面

⑤ 下载完成后，单击管理应用，可以显示相应的 APP_ID、API_KEY 和 SECRET_KEY 参数信息（文字识别界面参见图 3-5）。

文字识别
Android SDK
1.4.4 问题修复
2018-09-29
使用说明
下载
iOS SDK
3.0.3 完善识别失败判断的逻辑
2019-03-08
使用说明
下载
Java SDK
Java
4.11.1 新增VIN码识别，户口本识别，港澳…
2019-04-16
使用说明
下载
PHP SDK
php
2.2.15 新增VIN码识别，户口本识别，港澳…
2019-04-17
使用说明
下载
Python SDK
2.2.15 新增VIN码识别，户口本识别，港澳…
2019-04-17
使用说明
下载
C++ SDK
0.8.1 新增VIN码识别，户口本识别，港澳…
2019-04-16
使用说明
下载
C# SDK
3.6.11 新增VIN码识别，户口本识别，港澳…
2019-04-17
使用说明
下载
Node.js SDK
2.4.1 新增VIN码识别，户口本识别，港澳…
2019-04-16
使用说明
下载
应用
用量
API
调用量
调用失败
失败率
已建应用: 1 个
管理应用
创建应用
应用列表
创建应用
应用名称
AppID
API Key
Secret Key
1
语音识别
16846324
t7sVTYNO09lOzyeZqXMrdK9g
SVaal3uTiVkhdH2CElyNybCAnMDxBhY7

图 3-5　文字识别界面

⑥ 编辑下面的程序，将上述密码信息填写后即可运行程序，实现将文本信息转化输出一个 mp3 格式的语音文件。

（2）具体程序如下：

```
# 导入百度语音工具包
from aip import AipSpeech
# 配置应用信息，引号内填入自己的帐号、密码
APP_ID="  "
API_KEY="  "
SECRET_KEY="  "
# 建立连接
client=AipSpeech(APP_ID,API_KEY,SECRET_KEY)
# 设置待转换的文字及配置输出参数，vol-语速
result=client.synthesis(text="《人工智能基础》教材，'文字转语音'测试代
码.",options={'vol':5})
# 生成语音格式文件
if not isinstance(result,dict):
    with open('转换后语音.mp3','wb') as f:
        f.write(result)
else:
    print(result)
```

3.4 本章小结

本章首先介绍了人工智能的通信技术，主要包括人工智能在通信领域面临的挑战、应用，重点介绍了自然语言处理中的语音识别技术；其次，从发展、分类、核心技术、识别方法、应用等方面，对语音识别进行较为宏观、全面的讲解；最后，利用百度语音

技术服务 API，快速搭建由文本信息转换为语音输出的演示程序，使读者快速掌握利用第三方工具实现语音识别的简单应用，提高对语音识别方面研究的兴趣及热情。

习题 3

3-1 简述人工智能在通信领域面临的挑战。

3-2 人工智能在通信领域有哪些应用？

3-3 语音识别系统如何分类？

3-4 语音识别系统识别方法有哪些？简单描述语音识别的基本过程。

3-5 简述如何利用百度语音技术服务快速实现语音识别功能。

3-6 设计一个程序，实现语音信息到文本信息的转换。

第四章

智能控制

智能控制无须人的干预就能够自主驱动智能机器，并对其进行控制。它是用机器模拟人类智能的又一重要学科领域。本章将围绕智能控制的基本概念、经典控制理论及人工智能在控制领域的应用展开介绍。

4.1 智能控制基础

4.1.1 智能控制的产生与发展

智能控制是自动控制技术新的发展阶段，是一种以计算机科学、控制理论、运筹学、神经生理学等学科为基础，不断扩展形成的高级理论与技术。智能控制与传统的控制有密切关系，智能控制往往利用传统控制的方法来解决“低级”控制问题，但是它又突破了传统模型中的确定性，转而研究模型未知或知之甚少的模型，来解决更具有挑战性的复杂的控制问题。传统的控制理论对线性问题有比较成熟的见解，而对高度非线性对象的控制尚不尽如人意，智能控制的出现则为解决此类问题找到了出路。智能控制是传统控制理论的延伸，具有补偿及自我修复的能力，具有一定程度的“智能”，代表自动控制科学发展的高级阶段。

20 世纪 60 年代，智能控制首次出现。著名的美籍华裔科学家傅京孙（King Sun Fu）于 1965 年第一次提出在学习控制系统中使用人工智能的启发式推理规则，并于 1971 年提出了将智能控制作为人工智能和自动控制的交接产物。1967 年，“智能控制”一词首次出现。在智能控制技术刚刚萌芽时，常采用的是比较初级的智能方法，效果不明显，并且进展缓慢。随着科技的发展和计算机技术的兴起，智能控制逐步进入了深化时期，

20 世纪 70 年代，蔡自兴教授为智能控制技术注入了新鲜的想法——信息论，带领智能控制走向更加广阔的前景。1985 年 8 月，IEEE 在美国纽约召开了第一届智能控制学术研讨会，成立了 IEEE 智能控制专业委员会，并讨论了智能控制的定义和研究生课程教学大纲。1987 年 1 月，IEEE 控制系统学会与计算机学会联合召开了智能控制国际会议，正式建立了一门独立学科——智能控制。人工智能的产生和发展，将早期的自动控制推向了新的高潮。目前，智能控制能够代表自动控制领域最新的技术发展程度，图 4-1 展示了自动控制几个重要的发展阶段。

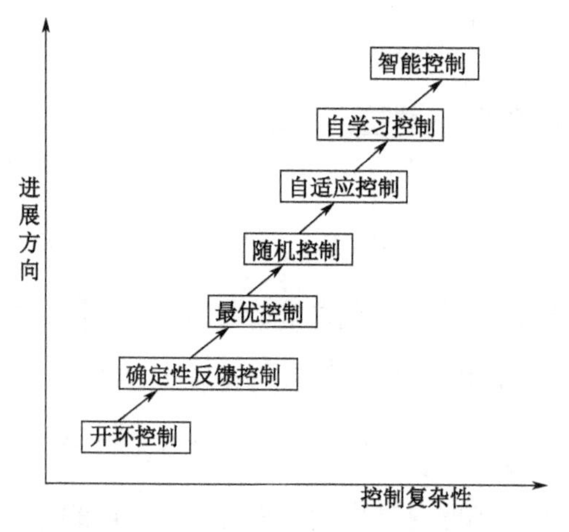

图 4-1　自动控制重要的发展阶段

近十年来，智能控制技术发展势头迅猛，呈现出强大的生命力和发展前景。各种智能决策系统、专家系统、学习系统和故障诊断系统等已被用于解决大量的传统控制无法解决的实际控制应用问题。智能控制常常应用在过程控制和智能制造、机器人控制、智能电网、现代农业控制、智能交通控制与自能驾驶等众多领域。在控制领域，智能控制会随着人工智能的蓬勃发展、智能控制基础理论的创新，以及应用方法的成熟取得更大的成就。

4.1.2 智能控制的基本概念

1. 智能机器

智能机器能够在各种环境中自主地与操作人员交互作用，并执行各种拟人任务。它能够代替人类自主地从事某些远距离、危险、厌烦或高精度作业等。

2. 自动控制

自动控制能够按照规定程序在不需要人工干预的条件下，利用外部的设备对机器、装置进行自动操作，或者使某个生产过程按照预设的规律运行。

3. 智能控制

智能控制在无须人工干预的情况下，自主驱动智能机器实现对目标的控制过程。

4. 智能控制系统

智能控制系统用于驱动自主智能机器在无须操作人员干预的条件下实现其目标。

5. 智能控制基本结构

傅京孙指出，智能控制系统描述自动控制系统与人工智能交接的作用，即二元交集结构。1977年，萨里迪斯提出三元结构，这是对先前傅京孙的智能控制理论的扩充。三元是指人工智能、自动控制和运筹学，三元结构就是将智能控制看作三者的交接。萨里迪斯认为，构成二元交集结构的两元互相支配，无法成功。有效应用智能控制，必须在智能控制中引入运筹学概念，使它成为三元交集中的一个子集。

蔡自兴在研究上述智能控制理论结构和与相关学科之间的关系后提出了四元智能控

制结构，在原有结构中又加入了信息论。他的理由有以下 5 点：

（1）通过信息论的方法可以解释知识和智能；

（2）控制论、系统论和信息论三者相互联系、相互作用；

（3）信息论是控制智能机器的手段；

（4）信息熵是智能控制的测度；

（5）信息论参与智能控制的全过程，并对执行级起到核心作用。

4.2 智能控制理论

4.2.1 智能控制经典理论概述

智能控制学科包含的方法各有利弊，在实际应用中，我们应当结合不同的方法，发挥各自的优势，构成高级混合智能控制系统，获得了良好的效果。下面举例介绍几种典型的控制系统和方法。

1. 专家系统与神经网络

专家系统是一个具有专业知识与经验的系统，可以模拟人类专家解决专业领域的问题。神经网络是一种算法模型，可以模仿动物神经网络行为特征进行信息处理。这两种技术以不同的方式获取知识，前者是自顶而下的学习，我们提供给它的是已经建立好的从人类专家那里获得的知识和经验的规则集；而后者是自底而上的学习，我们向神经系统提供大量的数据供它学习和训练。如果将复杂系统分解成各种子系统功能模块，对易于掌握产生式规则的子系统应用专家系统方法，而用神经网络解决其他子问题。系统将神经网络的输出转化成符号化的形式输入系统的符号处理部分，最终建立专家系统和神经网络的混合系统。

2. 模糊神经网络

模糊神经网络是一种特殊的神经网络，给常规意义上的神经网络赋予模糊的输入信号和模糊权值，形成一个优势互补系统。模糊神经网络在结构上很像神经网络，而在功能上是模糊系统。这两种对人脑“硬件”和“软件”的模拟进行有机结合，形成了模糊神经网络的三种形式：逻辑模糊神经网络、算术模糊神经网络、混合模糊神经网络。它们相互弥补各自的不足，实现利用神经网络结构进行模糊逻辑推理的目的，具有便捷、高效的特点，明显提高了系统的控制性能。

3. 遗传算法与模糊逻辑

模糊逻辑控制已被大量地应用在实际工程中，但在方法设计上还存在许多通过以往的优化方式难以解决的问题，而遗传算法的出现刚好弥补了这一缺陷。遗传算法的优势在于它无须了解对象的内部机理就能实现结构或环境的最优控制，所以将模糊逻辑与遗传算法有机地结合起来，利用模糊推理对遗传算法寻优过程中的某些环节进行模糊化处理，提高遗传算法的实用性和准确性。

4. 遗传算法与神经网络

遗传算法在神经网络中的应用主要反映在以下三个方面。

（1）神经网络的学习。首先，将遗传算法应用于神经网络的学习，可以对网络的学习规则实现自动化，从而提高学习效率；其次，利用遗传算法的全局优化及隐含并行性的特点，可以提高网络权数的优化速度。

（2）神经网络的设计。如何用遗传算法设计一个优质的神经网络结构需要两步：第一步，要解决网络结构的编码问题，目前的编码方法有直接编码法、参数化编码法和繁衍生长法三种；第二步，通过选择、交叉、变异操作得到最优结构。

（3）神经网络的分析。神经网络具有分布存储特点，一般难以从拓扑结构直接理解网络功能，此时可以利用遗传算法对神经网络进行功能分析、性质分析、状态分析。

5. 仿人控制

人类在数万年的进化过程中获得了知识获取、处理和记忆的能力，解决问题的能力，对环境的适应能力等。智能控制，从根本上讲，是要仿效人的智能行为进行决策和控制的。仿人控制并不需要了解对象的结构与参数，不需要依赖对象的数学模型，根据积累的经验和知识，用计算机加以模拟，进行在线的推理确定，最大限度地识别和利用控制系统动态过程提供的特性信息。

6. 分布式智能控制

分布式智能控制将大型的复杂系统分解成规模相对较小、便于进行数学建模和控制的子系统。这种控制方法的实质，就是应用计算机技术实现各个子系统之间信息的协调和共享，最终实现对庞大系统的控制。

4.2.2 智能控制系统

1. 分级递阶智能控制系统

人们常常利用分级递阶的方法来分析和组织复杂系统。在信息分析和行为控制等过程中，层次性的观念都是非常重要的，即在高层负责宏观的信息和决策，在低层负责具体的数据和控制。分级递阶智能控制（Hierarchical Intelligent Control）是在自适应控制和自组织控制基础上，于 1977 年由美国普渡大学 Saridis 提出的智能控制理论。分级递阶智能控制按智能控制的高低分为组织级、协调级、执行级。组织级属于最高智能级，具有推理、规划、决策和长期记忆信息的交换功能；协调级是组织级和执行级之间的接口，可以根据组织级提供的指令信息进行任务协调；执行级是系统中最低的一级，由多个硬件控制器组成，对精度有着很高的要求。这三级遵循“精度递增，伴随精度递减”的原则，图 4-2 为分级递阶智能控制系统架构图。

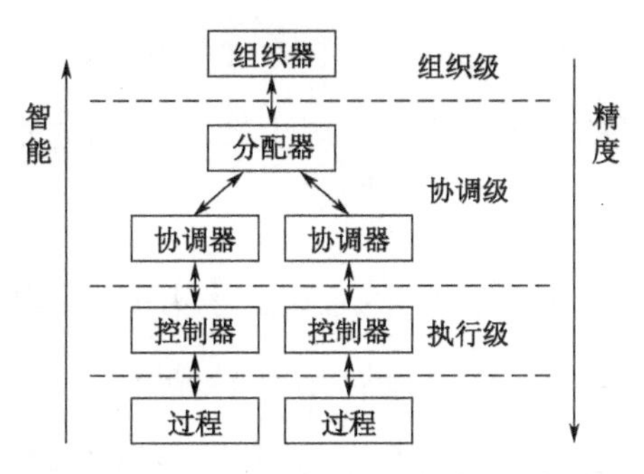

图 4-2 分级递阶智能控制系统架构图

组织级：负责整个系统的推理、规划、决策、长时记忆交换和反馈学习等功能，是智能最高的级别，主要进行的是基于知识的各种信息处理和决策，以规定一个响应外部指令的任务。

协调级：组织级和执行级的接口，负责将组织级的指令分配为执行级的各项子任务，同时反馈任务执行的信息。协调级的目标是把控制问题的实际公式与有希望的完全的协调规划联系起来。

执行级：递阶智能控制的最底层，要求具有较高的精度和较低的智能，一般由多个硬件控制器组成，负责具体的过程控制。

2. 专家控制系统

专家控制系统是一个智能计算机程序系统，其内部含有大量的某个领域专家水平的知识与经验，能够利用人类专家的知识和解决问题的经验方法来处理该领域的高水平难题。目前，专家控制系统已广泛应用于故障诊断、工业设计和过程控制领域。下面介绍该系统中的核心概念——专家系统。

专家系统是具有大量的专家知识、推理方法与经验的系统。它是一个计算机的程序，隶属于人工智能技术。专家系统可以以某领域一个或多个专家提供的知识和经验为基础，进行推理和判断，模拟人类专家的决策过程，解决需要人类专家才能处理好的复杂问题。专家系统的基本功能取决于它所含有的知识，所以，我们可以将专家系统简单地理解为基于知识的系统。系统一般由知识库、数据库、推理机、解释、知识获取 5 个部分组成。

（1）知识库。知识库指的是用适当的方式储存从专家那里获取的领域知识、经验，也包括必要的书本知识和常识。它是领域知识的存储器。

（2）数据库。数据库是在专家系统中划出的一部分储存单元，用于存放当前处理对象用户提供的数据和推理得到的中间结果。这部分内容是随时变化的。

（3）推理机。推理机用于控制和协调整个专家系统的工作。它根据当前的输入数据，再利用知识库知识，按一定推理策略去处理和解决当前的问题。推理策略有正向推理、反向推理和正反向混合推理三种方式。

（4）解释。解释是一组计算机程序，为用户解释推理结果，以便用户了解推理过程，并回答用户提出的问题，为用户学习和维护系统提供方便。

（5）知识获取。知识获取是通过设计一组程序，为修改知识库中原有的知识和扩充新知识提供手段，包括删除原有知识，将向专家获取的新知识加入知识库。

工业生产过程对专家控制系统提出了有别于一般专家系统的以下特殊要求。

（1）高可靠性及长期运行的连续性。工业过程控制往往数十甚至数百小时连续运行，而不允许间断工作。因此，工业过程专家控制系统对长期运行的连续性及高可靠性的要求比其他领域更为突出。

（2）在线控制的实时性。工业过程的实时控制，要求控制系统在控制过程中能实时地采集数据、处理数据，进行推理和决策，以便对过程进行及时控制。

（3）优良的控制性能及抗干扰性。工业过程被控对象多具有非线性、时变性、强干扰性等，要求专家控制系统具有很强的自适应和自学习能力，以保证在复杂多变的各种不确定性因素存在强干扰的不利环境下，获得优良的控制性能。

（4）使用的灵活性及维护的方便性。用户可以根据生产过程的工况变化，灵活方便地设置参数、修改规则等。在系统出现异常或故障情况时，系统本身应能采取相应措施或要求引入必要的人工参与。

专家控制系统的一种实现形式为专家式控制器，控制器结构简单、研制成本较低，性能可以满足工业过程控制的一般要求，因而获得了广泛的应用。专家控制器的设计要求其能够高可靠性运行，具备良好的通用性、强决策能力、灵活的控制与处理能力，以及一定的拟人能力。

3. 模糊控制

模糊控制是以模糊集合理论、模糊语言及模糊逻辑为基础的一种计算机数字控制。模糊控制是处理推理系统和控制系统的不精确和不确定性问题的一种有效方法，同时也构成了智能控制的重要组成部分。

模糊控制具有如下四个特点。

（1）当被控对象模型无法用严密的数学表示时，更适合使用模糊控制。

（2）与人类的脑类活动相似，模糊控制具有模糊性和经验性。

（3）单片机、专用模糊控制芯片等均可以构造。

（4）具有较强的鲁棒性。

模糊控制重要的部分之一——模糊控制器，其控制规律是依靠计算机程序实现的，其基本架构如图 4-3 所示。从图 4-3 可以看出，模糊控制器是由精确量的模糊化、规则库模糊推理及模糊量的反模糊化三个部分组成的。

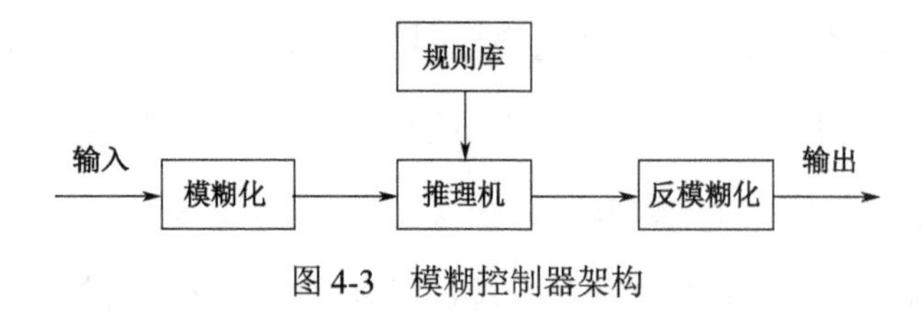

图 4-3　模糊控制器架构

（1）精确量的模糊化。

使一个清晰量逐渐模糊的过程就是模糊化。我们可以根据不同的分类标准将输入量分成不同的隶属度。举例来说，对于温度输入，可以根据温度的高低将输入分为很冷、冷、常温、热和很热 5 类。模糊化是实现模糊控制的首要环节，将模糊控制器输入量的确定值转换为对应的模糊集合的过程。控制系统中的偏差 e 和偏差变化率 ec 的实际范围叫作这些变量的基本论域，假设偏差的基本论域为$[-x,+x]$，偏差所取的模糊集的论域为$(-n,-n+1,\cdots,0,n-1,n)$，即可给出精确量的模糊化的量化因子：

$$k=\frac{n}{e} \tag{4.1}$$

（2）模糊规则库和推理机。

模糊规则库是模糊系统的核心内容，是由模糊 IF-THEN 规则集组成的。模糊控制器的规则是专家知识或手动操作熟练人员长期积累的经验的集合，是以人的直觉推理为准则的一种语言表达形式。模糊规则通常是由一系列的关系词连接而成的，如 if-then,else,also,and,or 等。

if 为"前提"，而 then 为"结论"，可以将其基本结构归纳为：if A and B then C，其中，A 为论域 U 上的一个模糊子集，B 为论域 V 上的一个模糊子集。根据人工的控制经验，可离线组织其控制策略表 R，R 是笛卡儿乘积集 $U\times V$ 上的一个模糊子集，则某一时刻，其控制量 C 由式（4.2）给出：

$$C=(A\times B)\circ R \tag{4.2}$$

规则库代表整个控制系统的思考法则，其中储存的是一系列的控制规则，能够在推理时为“推理机”提供控制规则。规则条数取决于模糊变量的模糊子集划分情况，模糊子集划分越细，那么规则条数相应也会越多。规则库的“准确性”不仅与模糊变量的模糊子集的划分有关，还要考虑专家知识的准确度。

控制规则的完备性、交叉性和一致性是在设计模糊控制规则时必须考虑的 3 个因素。完备性是指任何输入量的状态均需要预支相对应的控制规则的，控制规则的完备性是系统能被控制的必须条件之一。在目前的研究中，有以下 3 种常用的模糊控制规则生成方法。

a. 根据专家经验或过程控制知识生成控制规则。模糊控制规则是基于手动控制策略而建立的，而手动控制策略来源于人们的日常学习、试验及长期经验。手动控制过程一般先对被控对象或过程进行观测，然后操作者根据已有的经验和技术知识，进行综合分析，并作出控制决策，调整后施加到被控对象，从而使系统达到预期目标。

b. 根据过程模糊模型生成控制规则。被控对象的动态特性可以通过语言加以描述，这就是过程的模糊模型。我们可以从模糊模型中得到模糊控制规则集。

c. 根据对手工操作的系统观察和测量生成控制规则。举例来说，在日常生产和生活中，操作控制系统一般比较容易，但如何给出模糊控制的控制语句很难。为了解决这个问题，人们多次测量系统的输入/输出，根据多次测量所产生的数据去整合相应的模糊控制规则。

（3）模糊量的反模糊化。经过一系列的模糊控制决策可以得到最终的模糊量，需要将所得的模糊值转换为明确的控制信号，才能作为系统的输入值。反模糊化判决方法主要有最大隶属度法、重心法和加权平均法。

模糊控制系统原理框图如图 4-4 所示。

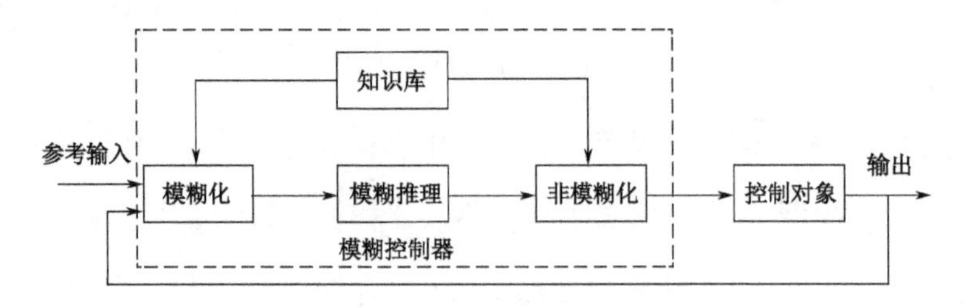

图 4-4　模糊控制系统原理框图

模糊控制算法的实现过程如下。

（1）采样比较：计算机经过采样得到被控制量的精确值，并与给定值比较得到误差信号 E。

（2）生成模糊量：选取误差信号 E 作为模糊控制器的输入，并对 E 的精确量进行模糊化操作。

（3）生成模糊子集：用相应的模糊语言表示误差 E 的模糊量，得到误差 E 的模糊语言集合的一个子集 $\boldsymbol{e}$（实质为模糊向量）。

（4）模糊决策：由 $\boldsymbol{e}$ 和模糊控制规则 R 根据推理的合成规则进行模糊决策，得到模糊控制量 u，如式（4.3）所示。

$$u=\boldsymbol{e}\circ R \tag{4.3}$$

（5）非模糊化：将模糊控制量 u 进行非模糊化处理得到精确量，便于更加精确地控制被控对象。

（6）数模转换：经过数模转换，将精确的数字量变为精确的模拟量并传送给执行机构，即完成了一次模糊控制。

（7）重复（1）～（6），即可实现对被控对象的模糊控制。

与常规的控制方案相比，模糊控制有如下 4 个特点。

（1）模糊控制采用的是模糊数学、模糊语言规则和模糊规则，三者可以构成一个具有反馈特性的闭环自动控制系统。在掌握现场操作人员或有关专家的经验、知识或操作数据的条件下，即使对于被控过程难以建立数学模型或没有数学模型的情况下都能够实现控制。所以，模糊控制策略逐渐成为解决不确定系统的有效途径。

（2）模糊控制无须传递函数与状态方程，用语言变量的形式定性地表达即可。总结人类经验、提炼规则、提供语言变量，最后进行推理观察，就可以进行模糊控制。

（3）模糊控制系统适用于时变、非线性、时延系统的控制，因为它具有较强的鲁棒性。

（4）模糊控制为设计不同的目标函数，可以选择不同的观点，尽管整个系统的设计需要协调控制，但其语言控制规则独立。

4. 人工神经网络

人工神经网络是一种模仿生物神经网络的结构和功能的数学模型或计算模型。人工神经网络主要由输入层、隐藏层、输出层构成。实际上，网络输入层的每个神经元代表了一个特征，输出层个数代表了分类标签的个数（例如，在做二分类时，如果采用 sigmoid 分类器，输出层的神经元个数为 1 个；如果采用 softmax 分类器，输出层神经元个数为 2 个），而隐藏层层数及隐藏层神经元是由人工设定的。一个典型的三层神经网络拓扑图如图 4-5 所示。

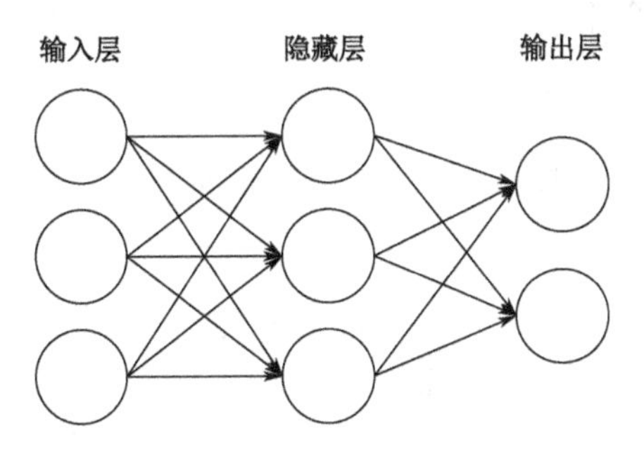

图 4-5　三层神经网络拓扑图

为了便于理解，先简单回顾一下逻辑回归。逻辑回归模型可以表示为

$$h_\theta(x)=\frac{1}{1+e^{-\theta^T x}} \tag{4.4}$$

假设线性变换 z 表示为式（4.5），则回归模型可以变换为公式（4.6）。

$$z=\theta^T x=\theta_0+\theta_1 x_1+\theta_2 x_2 \tag{4.5}$$

$$h_\theta(x)=g(z)=\frac{1}{1+e^{-z}} \tag{4.6}$$

因此，可以将模型用图 4-6 所示的结构进行理解。

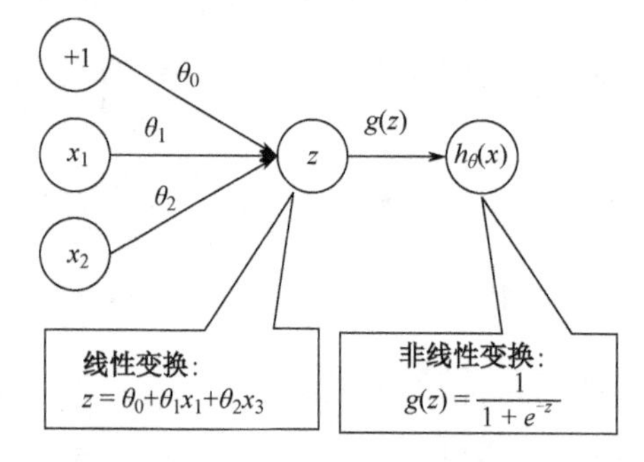

图 4-6　逻辑回归模型拓扑图

参照图 4-6 可以发现，逻辑回归模型可以分为线性变换与非线性变换两部分。当神经网络模型只有输入层与输出层，并且输出层只有一个神经元时，便与逻辑回归的模型结构一致。只不过在神经网络中，线性变换（求和）与非线性变换被集成在一个神经元（隐藏层或输出层）中，如图 4-7 所示。

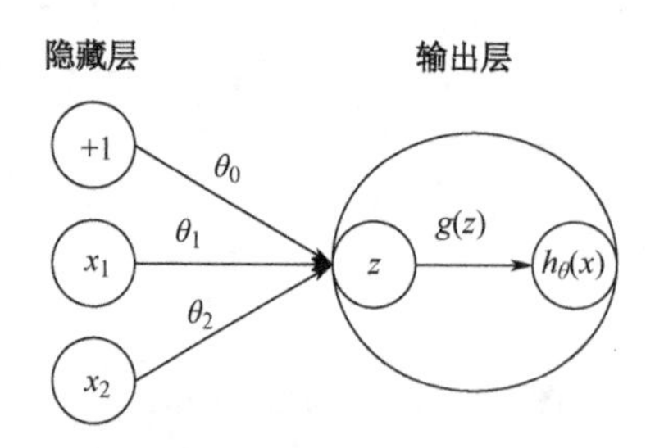

图 4-7　逻辑回归模型与神经网络模型对比

于是，对于具有多层或多个输出神经元的神经网络就不难理解了。其中，每个隐藏层神经元或输出层神经元的值（激活值），都是由上一层神经元经过加权求和与非线性变换而得到的。其中，非线性变换函数（又称为激活函数）可以是 sigmoid、tanh、relu 等函数。

根据上文所述，可以将图 4-5 的拓扑图扩展为图 4-8 所示的扩展的三层神经网络拓扑图。

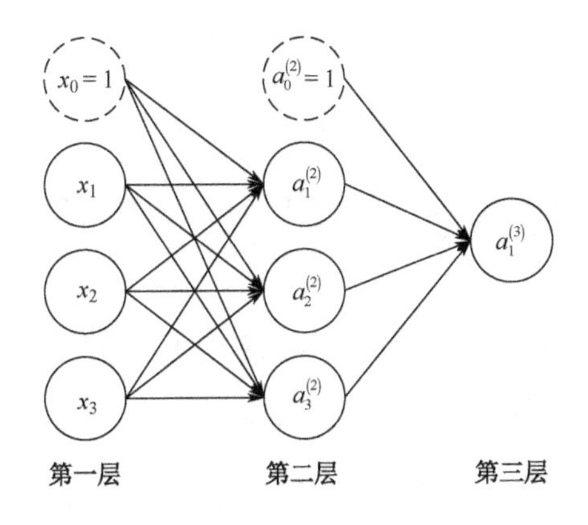

图 4-8 扩展的三层神经网络拓扑图

其中，x_i 表示输入层的值，i=1,2,3；$a_i^{(k)}$ 表示第 k 层中第 i 个神经元的激活值，k=1,2,3,⋯,K，i=1,2,3,⋯,N_k；N_k 表示第 k 层的神经元个数。当 k=1 时，即输入层，$a_i^{(1)}=x_i$，而 $x_0=1$ 与 $a_0^{(2)}=1$ 表示偏置项。

为了求解最后的输出值 $h_\theta(x)=a_1^{(3)}$，需要计算隐藏层中每个神经元的激活值 $a_{ji}^{(k)}$ (k=2,3)。而隐藏层或输出层的每一个神经元，都是由上一层神经元经过类似逻辑回归计算而来的，如图 4-9 所示。

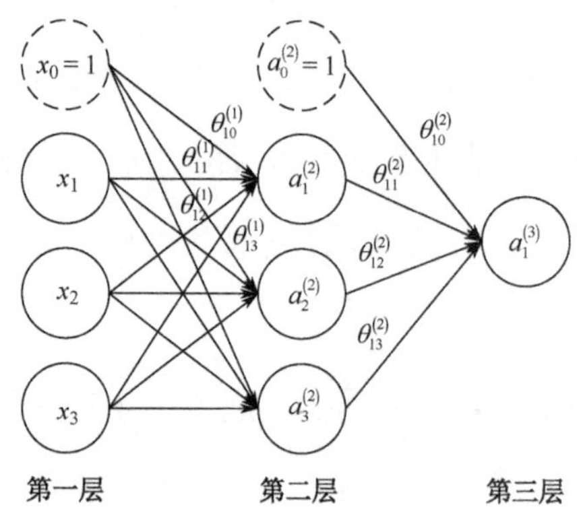

图 4-9　神经网络激活值

如果使用$\theta_{ji}^{(k)}$来表示第 k 层的参数（边权），其中，下标 j 表示第 k+1 层的第 j 个神经元，i 表示第 k 层的第 i 个神经元，那么隐藏层的 3 个激活值可以利用式（4.7）、式（4.8）和式（4.9）来计算。

$$a_1^{(2)}=g\left(\theta_{10}^{(1)}x_0+\theta_{11}^{(1)}x_1+\theta_{12}^{(1)}x_2+\theta_{13}^{(1)}x_3\right) \tag{4.7}$$

$$a_2^{(2)}=g\left(\theta_{20}^{(1)}x_0+\theta_{21}^{(1)}x_1+\theta_{22}^{(1)}x_2+\theta_{23}^{(1)}x_3\right) \tag{4.8}$$

$$a_3^{(2)}=g\left(\theta_{30}^{(1)}x_0+\theta_{31}^{(1)}x_1+\theta_{32}^{(1)}x_2+\theta_{33}^{(1)}x_3\right) \tag{4.9}$$

结合将隐藏层的激活值及偏置项$a_0^{(2)}$, $a_1^{(2)}$, $a_2^{(2)}$, $a_3^{(2)}$来计算输出层神经元的激活值，最后获得该神经网络的输出，如式（4.10）所示：

$$a_1^{(3)}=g\left(\theta_{10}^{(2)}a_0^{(2)}+\theta_{11}^{(2)}a_1^{(2)}+\theta_{12}^{(2)}a_2^{(2)}+\theta_{13}^{(2)}a_3^{(2)}\right) \tag{4.10}$$

4.3　人工智能在智能控制领域的应用

实际的系统中包含非线性、时变性、不确定性和不完全性等复杂的形式，一般获得的数学模型精确度低。在提出并遵循一些比较苛刻的线性化假设的条件下，才能够应用传统控制理论，而实际情况一般无法满足这些假设。传统数学模型无法用来表示某些复杂的和饱含不确定性的控制过程，也无法解决建模问题。传统控制系统的复杂化可以提高控制性能，但随着设备数量的增加，系统可靠性可能会降低。

1. 生产过程中的智能控制

目前，制造业在生产制造过程中面临几个挑战，例如，如何在避免质量隐患和下游错误的条件下减少无价值活动造成的浪费，如何提高生产效率和制造的敏捷性和灵活性等。为了解决这些问题，人们逐渐将智能控制引入生产过程中。生产过程的智能控制主要包括局部级和全局级两个方面。局部级的智能控制是指将智能引入工艺过程中的某一单元进行控制器设计，如智能 PID 控制器、专家控制器、神经元网络控制器等。智能 PID 控制器在参数的整定和在线自适应调整方面具有明显的优势，并且可控制一些非线性的复杂对象，因此，逐渐成为科学家们的重点研究方向。全局级的智能控制主要针对整个生产过程的自动化，包括整个操作工艺的控制、过程的故障诊断、规划过程操作处理异常等。如果在整个自动化工艺过程中都引入智能控制实现故障诊断及对整个工艺进行规划，那就是全局级智能控制。

2. 先进制造系统中的智能控制

先进制造技术是制造技术的新发展阶段，来源于传统的制造技术，既保持了传统的有效要素，又在新的制造环境中加入了高新技术，产生了质的飞跃。在现代先进制造系统中，获得的数据往往不够完备或不够精确，这时就可以利用人工智能技术来解决难以或无法预测的情况。

（1）利用模糊数学、神经网络的方法对制造过程进行动态环境建模，利用传感器融合技术进行信息的预处理。

（2）采用专家系统的“Then-If”逆向推理作为反馈机构，修改控制机构或者选择较好的控制模式和参数。

（3）利用模糊集合和模糊关系的鲁棒性，将模糊信息集成到闭环控制的外环决策机构来选择控制动作。

（4）利用神经网络的学习功能和并行处理信息的能力，进行在线的模式识别，处理残缺不全的信息。

3. 电力电子领域的智能控制

发电机、变压器、电动机等都是电力系统中非常重要的设备，如何对电气设备的设计进行优化，对过程进行加工设计从而取得更好的控制效果，都是我们需要考虑的问题。因此，国内外的电气工作者将人工智能技术引入电气设备的设计、生产、运行、控制等一系列过程中。

（1）应用先进的优化算法——遗传算法，其优点是可以优化设计、降低成本、缩短时间，提高产品设计的效率和质量。

（2）将模糊逻辑、专家系统和神经网络等技术应用于电气设备故障诊断的智能控制。

（3）智能控制在电流控制 PWM 技术中的应用具有很强的代表性，它也是目前科学家们在控制领域研究的重点和难点之一。

4. 机器人领域的智能控制

智能控制现在已经可以做到准确定位机器人，检测环境，并对环境进行建模。这些日渐成熟的应用也逐渐在实际应用中被检验出来。除此之外，智能控制还可以对那些经由传感器融合之后的信息进行处理。编程技术和控制技术也随着优化算法和遗传算法的发展有了进一步的突破。

5. 智能控制在广义控制领域中的应用

自动控制技术的不断发展既可以将人类从繁重、重复、机械、危险的劳动环境中解放出来，又可以提高劳动效率。控制对象的范围很广，包括参与工业生产的机械设备、股市行情预测、城市交通规划及地震火灾预警等数据。这些模型是一种具有模糊性、不完全性和不确定性的非数学性的表现形式。传统的控制器往往无法解决此类控制问题，所以需要引入一些符号信息来建模、编制智能算法程序，进而完成系统自动推理和决策。

粒子群算法就是一个简明易懂的例子。它是一种迅速发展的算法，以往的算法要求优化函数必须具备的连续性等，而像目前的粒子群优化算法已无此特殊要求。广大学者和相关人员逐渐将视线转移到易于实现编程的算法和粒子收敛迅速的特性上来，希望能够尽快将优化算法应用到各个领域。

（1）应用在连续问题的参数优化中。粒子群优化算法已经逐渐被人们所接受，并应用在各种连锁问题上，例如，设计控制器、机器人的路径优化问题、电力系统优化问题、评估参数优化函数，以及各种工程领域的优化等。

（2）应用在组合优化方面。科学家多次实验证明，相比于遗传算法，离散粒子群算法在测试函数方面有更好的效果。但是，粒子群算法也有其自身的缺陷，序结构的表达、约束条件的处理等环节还需要进一步的优化，以期望在实际的应用中达到更好的效果。目前，它还只能是适用于部分组合优化问题，有科学家利用诸如重新定义迭代公式中的乘法和加法的方法来解决实际问题，还有一些研究人员试图将离散粒子群算法用于解决包括设计优化废水收集网络问题、寻找最短路径问题、对平面图进行着色问题，以及车间调度等问题在内的其他问题。

（3）在神经网络训练中的广泛应用。粒子群算法可以满足神经网络的权重训练。BP（Back Propagation）神经网络算法需要使用梯度信息通过梯度下降法使粒子快速收敛。

而基于 BP 神经网络的 PSD（Position Sensitive Detector）算法则要简单得多，但也存在其他缺陷（如后期收敛速度较慢），于是有学者提出在训练神经网络权重时将两种算法的优势进行结合。

（4）粒子群算法还在数据挖掘聚类分析、故障识别和分类器等领域有着广泛的应用。智能控制在工程领域的应用日趋成熟，多种软硬件的逐渐开发使智能控制在实际应用中更加方便。我们熟知的这些工具箱为系统的智能控制提供了很大的帮助。

目前，智能控制技术无论是在国内还是在国外都有了很大的突破，变得更加工程化、实用化。智能控制技术作为一门新兴的理论技术还有一定的发展空间。人工智能技术、计算机技术的迅速发展都会将智能控制推向新的高潮。

4.4　本章小结

本章首先介绍了智能控制的概念、产生与发展，针对经典的智能控制理论进行了原理、核心内容的简单概述；然后，结合人工智能在智能控制领域的应用示例，展示了智能控制较传统控制的优势及应用前景。通过本章的学习，可以使读者对智能控制获得较为宏观、全面的认识。人工智能与智能控制的结合应用在生产、制造、电力电子、交通等多个领域，均获得了跨越式的发展，为读者如何将二者有机结合提供了思路和方法，并期望挖掘更具创新性的应用研究课题和方向。

习题 4

4-1 什么是智能控制？它与传统控制有什么区别？

4-2 智能控制经典理论有哪些？

4-3 分级递阶智能控制系统有哪些层级，分别起到什么作用？

4-4 专家控制系统是如何组成的？

4-5 工业生产过程对专家控制系统的特殊要求是什么？

4-6 模糊控制规则生成方法有哪些？

4-7 模糊控制算法是如何实现的？

4-8 针对图 4-9 所示的神经网络，简述其输入-输出计算过程。

第五章

深度学习

第三拨人工智能热潮源于深度学习的复兴。那么，到底什么是深度学习？为什么深度学习能让计算机一下子变得聪明起来？为什么深度学习相比其他机器学习技术，能够在机器视觉、语音识别、自然语言处理、机器翻译、数据挖掘、自动驾驶等方面取得更好的效果呢？

5.1 深度学习的发展

1. 深度学习的起源

1943 年，心理学家麦卡洛克和数学逻辑学家皮兹发表论文“神经活动中内在思想的逻辑演算”，提出了 M-P 模型。M-P 模型是模仿神经元的结构和工作原理，构造出的一个基于神经网络的数学模型，其本质是一种“模拟人类大脑”的神经元模型。M-P 模型作为人工神经网络的起源，开创了人工神经网络的新时代，也奠定了神经网络模型的基础。

1949 年，加拿大著名心理学家唐纳德·赫布在《行为的组织》一书中提出了海布学习规则（Hebb Rule），这是一种基于无监督学习的规则。海布学习规则以人类模仿认知世界的过程为参考模板建立了“网络模型”。此模型可以针对训练集进行大量的训练，实现提取训练集的统计特征的目的，将相互联系密切的样本根据相似度归为一类，最后把样本分成若干类别。海布学习规则的机理和“条件反射”一致，它具有重大的历史意义，为以后神经网络的学习算法奠定了基础。

以 M-P 模型和海布学习规则的研究为基础，美国科学家罗森布拉特于 20 世纪 50 年代末，发现了感知器学习（我们可以理解为一种类似于人类学习过程的学习算法），并于1958年，正式提出“感知器”的概念，定义为由两层神经元组成的神经网络。从本质上来说，感知器可以对输入的训练集数据进行二分类的线性模型，能够在训练集中自动更新权重值。众多科学家和研究人员在对人工神经网络的研究中，对感知器的提出产生了极大的兴趣，这也能证明感知器在神经网络的发展过程中是一个里程碑式的发现。

随着研究不断深入，在1969年，“AI之父”马文·明斯基（见图5-1）和LOGO语言的创始人西蒙·派珀特共同编写了一本名为《感知器》的著作，书中描述了他们是如何证明单层感知器无法解决线性不可分问题（如异或问题）的。单层感知器的致命缺陷导致无法将它推广到多层神经网络中，人工神经网络在20世纪70年代进入了第一个瓶颈期，此后近20年，人们对神经网络都没有新的发现。

图5-1 “AI之父”：马文·明斯基

2. 深度学习的发展

著名物理学家约翰·霍普菲尔德在1982年发明了Hopfield神经网络，它结合了存储系统和二元系统，是一种循环神经网络。Hopfield神经网络模拟人类的记忆，根据选取的激活函数不同，可以划分为用于连续型和用于联想记忆的离散型两种。由于这一网络结构仍存在一定的缺陷——容易陷入局部最小值，该算法并未得到大家的关注。

几年后，深度学习之父杰弗里·辛顿（见图 5-2）提出了 BP 算法，它适用于多层感知器的反向传播。也就是说，BP 算法以传统神经网络的正向传播为基础，增加了误差的反向传播过程。反向传播过程不断地调整神经元之间的权值和阈值，直到输出的误差减小到允许的范围内，或达到预先设定的训练次数为止。BP 算法完美地解决了非线性分类问题，使人工神经网络研究再次回暖。受制于 20 世纪 80 年代计算机有限的硬件水平，在神经网络的规模不断增大的情况下，BP 算法会直接导致“梯度消失”问题，这使 BP 算法得不到进一步发展。后来以 SVM 为代表的其他浅层机器学习算法于 20 世纪 90 年代中期被提出，也收获了一定的效果，解决了一定的分类、回归问题。但算法的原理与神经网络模型有着明显的不同，人工神经网络的发展不得不再次停滞，并再一次进入了寒冬期。

图 5-2　深度学习之父：杰弗里·辛顿

3. 深度学习的二次发展

2006 年，杰弗里·辛顿和他的学生鲁斯兰·萨拉赫丁诺夫正式提出了深度学习的概念。他们在世界顶级学术期刊《科学》发表的一篇文章中给出了“梯度消失”问题的详细解决方案——通过无人监控的学习方法逐层训练算法，然后使用有监督功能的反向传播算法进行参数调优。深度学习算法一经提出，立即在学术界产生了巨大的反响，以斯坦福大学、多伦多大学为代表的众多世界知名高校纷纷投入巨大的人力、财力进行深度学习领域的相关研究，并迅速投入工业应用中。

深度学习技术的进步及数据处理能力的提升，使 Facebook 基于深度学习技术的 DeepFace 项目，在人脸识别方面的准确率已经能达到 97%以上，几乎可以达到人类对人脸识别的水平。这个数据再一次证明了深度学习算法在图像识别方面的卓越成就。

2016 年，谷歌公司基于深度学习开发的 AlphaGo 以 4：1 的比分战胜了国际顶尖围棋高手李世石（见图 5-3）。后来，AlphaGo 又接连打败了众多世界级围棋高手。种种迹象表明，在围棋界基于深度学习技术的机器人已经超越了人类。

图 5-3　AlphaGo 大战李世石

2017 年，基于强化学习算法的 AlphaGo 进行了进化，升级版的 AlphaGo Zero 采用“从零开始”“无师自通”的学习模式，以 100：0 的比分完胜 AlphaGo，它还精通除围棋外的其他棋类游戏，如国际象棋等，可谓真正的棋类“天才”。同一年，深度学习的相关算法在医疗、金融、艺术、无人驾驶等多个领域均取得了显著的成果。综上所述，有专家把 2017 年看作深度学习，甚至是人工智能发展突飞猛进的一年也并不为过。

在深度学习的浪潮下，不管是 AI 的相关从业者，还是其他各行各业的工作者，都应该以开放、学习的心态关注深度学习、人工智能的热点动态。人工智能正在悄无声息地改变着我们的生活！

5.2 深度学习概述

实现机器学习的途径一般包括决策树、归纳逻辑程序设计、聚类、强化学习和贝叶斯网络等，而深度学习是另一种新途径。深度学习这一概念的灵感来自大脑的结构和功能，即众多神经元的相互连接。人脑神经网络结构如图 5-4 所示。

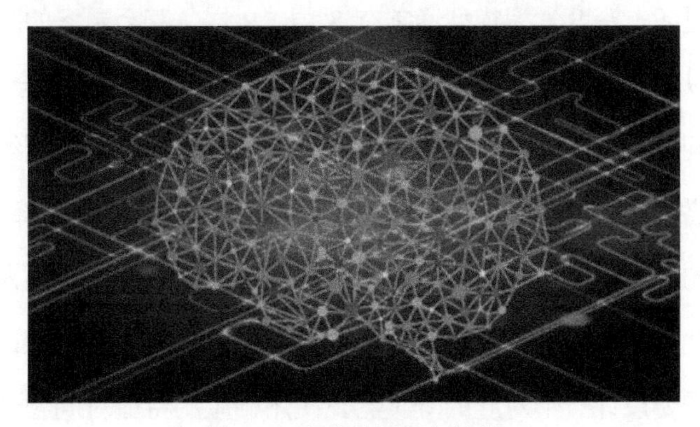

图 5-4 人脑神经网络结构

通过实验所实现的人工神经网络（ANN）实际上是一种模拟大脑生物结构的算法。在人工神经网络中，存在着具有独立处理层的“神经元”，并且这些“神经元”与其他“神经元”相接。其中，每一个独立处理层都有其特定的学习特征，例如，自动地对图像中的曲线或边缘进行识别。正是这种分层的属性定义了“深度学习”这一名称，其中的“深度”是通过使用多个层而不是单个的独立层来实现的。

那么，深度学习和我们经常听到的人工智能及机器学习有着怎样的关系呢？首先说一说人工智能和机器学习的关系。实际上，人工智能和机器学习并没有直接的关系，只不过在目前的技术水平下，机器学习的方法被大量地应用于解决人工智能的问题而已。

也可以这样说，机器学习是人工智能的一种实现方式，也是最重要的实现方式。

深度学习属于机器学习的一个子域，其主要算法受到大脑结构与功能的启发。在图像识别、图像分类等应用领域取得了很好的效果。此外，LeCun 等人提出的卷积神经网络是第一个真正的多层结构学习算法，它利用空间相对关系减少参数数目以提高训练性能，在之后的章节中对卷积神经网络会做更详细的介绍。

一般来说，典型的深度学习模型是指具有“多隐层”的神经网络，如图 5-5 所示。这里的“多隐层”指的是具有三个以上的隐藏层。隐层多了，相应的神经元连接权值、阈值等参数就会更多。深度学习模型通常有 8 层、9 层，甚至更多的隐藏层，这意味着深度学习模型可以自动提取很多复杂的特征。过去在设计复杂模型时会遇到训练效率低、易陷入过拟合的问题，但随着云计算、大数据时代的到来，海量的训练数据配合逐层预训练和误差逆传播微调的方法，可以大幅提高模型的训练效率，同时降低过拟合的风险。相比而言，传统的机器学习算法很难对原始数据进行处理，通常需要人为地从原始数据中提取特征。因此，需要系统设计者对原始的数据有相当专业的认识；在获得了比较好的特征表示后，需要设计一个对应的分类器，使用相应的特征对问题进行分类。而深度学习是一种自动提取特征的学习算法，通过多层次的非线性变换，它可以将初始的“底层”特征表示转化为“高层”特征表示后，用“简单模型”即可完成复杂的分类学习任务。

深度学习和传统的机器学习相比有以下三个优点。

1. 高效率

传统算法需要专业的棋手花费大量的时间去研究影响棋局的每一个因素，才可能粗略地评估一个棋局的优劣。但是，现有的深度学习技术无须考虑烦琐的特征提取过程，一旦设计好网络框架，就能够解决问题。深度神经网络结构图如图 5-5 所示。它节省了大量的特征提取的时间，使本来不可行的事情变为可行，这就是为什么 DeepMind 公司（Logo 参见图 5-6）的 AlphaGo（Logo 参见图 5-7），能够强大到轻松击败专业的顶级人类棋手的原因。

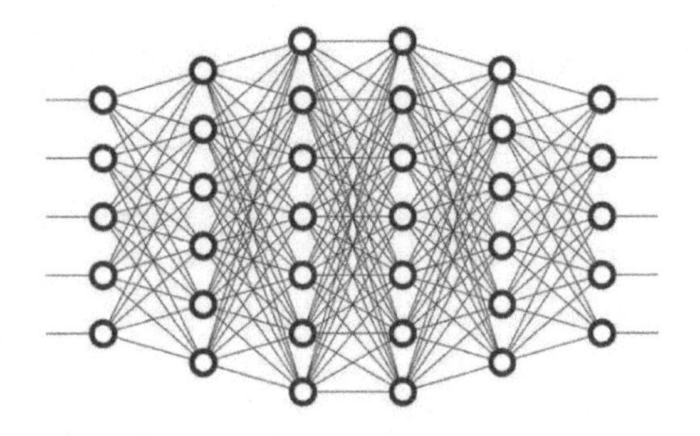

图 5-5　多隐层神经网络结构图

图 5-6　DeepMind 公司

图 5-7　AlphaGo

2. 可塑性

在面对一个问题的时候，传统算法需要将代码重新编写一遍才能够对模型进行调整，这种改进成本巨大。而深度学习要对模型做出改变只需要调整其中的参数，不需要重新编写代码就可以达到近乎完美的程度，使一个程序具有很强的灵活性和成长性。

深度学习与传统机器学习算法性能对比如图 5-8 所示。

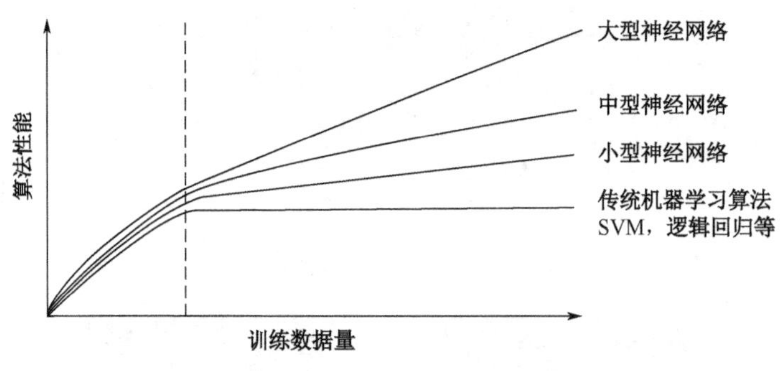

图 5-8　深度学习与传统机器学习算法性能对比

3. 普适性

神经网络经过不断的学习自动建立算法模型来解决问题，所以几乎能够解决各种问题。

下面介绍和讲解几种较为典型的深度学习经典网络，以获得更加深刻的理解。

5.3　深度学习的基本原理

在本节中，首先介绍几种经典的深度学习网络模型，然后对构建网络过程中网络的正则化和优化两个重要步骤进行细致分析。

5.3.1 深度学习的经典网络

1. AlexNet

AlexNet是由2012年ImageNet竞赛冠军获得者Hinton和他的学生Alex Krizhevsky设计的，也是在这一年之后，更多、更深的神经网络被提出。这一网络对于传统的机器学习分类算法而言，已经相当出色了。AlexNet网络由5层卷积层和3层全连接层组成，如图5-9所示。从图5-9中可以看出网络分为上下两部分，为了更好地提高算法的运算效率，设计者建议这两部分的网络模型运算分别在两个GPU模块内进行。从网络架构来看，二者并没有实质性的差异。AlexNet可以学习更丰富、更高维的图像特征，它的特点是：具有更深的网络结构；使用层叠的卷积层，即卷积层+卷积层+池化层来提取图像的特征；使用Dropout抑制过拟合；使用数据增强（Data Augmentation）抑制过拟合；使用Relu作为激活函数；使用多的GPU进行训练。下面将从简化的方向来分析这个AlexNet网络结构。

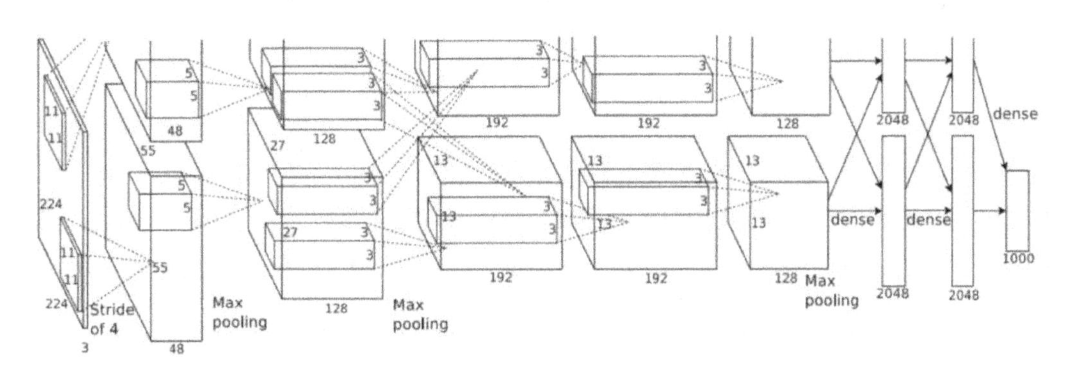

图5-9 AlexNet网络结构

AlexNet网络包含8个带权重的层：前5层是卷积层；后3层是全连接层；最后一层是全连接层，它的输出是1 000维softmax函数的输入参数，softmax函数会产生1 000

类标签的分布概率值。

（1）卷积层 C1。

该层的处理流程是：卷积—ReLU—池化—归一化。

① 卷积：输入是 227×227，3 通道图像，使用 96 个 11×11×3 像素点大小的卷积核，得到 55×55×96 像素点的特征映射（FeatureMap）。如果利用原始的输入图像尺寸 224×224，卷积运算后所得特征映射尺寸将出现无意义的小数情况，故算法中将输入的尺寸按照 227×227 来计算，使计算获得整数结果。

② ReLU：将卷积层输出的 FeatureMap 输入 ReLu 函数中。在最初的感知机模型中，输入和输出的关系可以由图 5-10 感知机基础模型表示，数学描述为

$$y = \sum_i \omega_i x_i + b \quad (5.1)$$

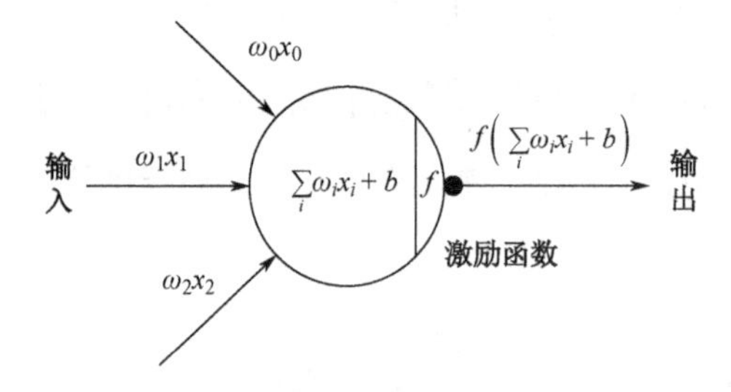

图 5-10　感知机基础模型

从图 5-10 可以看出，输入/输出只是单纯的线性关系，这样的网络结构有很大的局限性。即使使用很多这样的结构进行简单的网络层叠加，其输出和输入仍然是线性关系，并不适用于处理输入/输出为非线性关系的问题。因此，在这种情况下，需要对每个神经元的输出做非线性转换，即将式（5.1）加权求和的结果 y 输入一个非线性的函数——激活函数中。由于激活函数的引入，多个网络层的叠加不再是单纯的线性变换，而是具有更强的表现能力。

在网络层数较少时，Sigmoid 函数是使用最广泛的激活函数，它把一个实数压缩至

0～1。当输入的数字非常大时，计算结果接近 1；而当输入非常大的负数时，计算结果接近 0。它的这种计算特性，能够很好地模拟神经元在受到刺激后是否被激活，并向后传递信息：输出为 0 时，几乎不被激活；输出为 1 时，完全被激活。因此，利用 Sigmoid 函数，能够很好地满足激活函数的作用。图 5-11 所示为 Sigmoid 函数特征曲线。

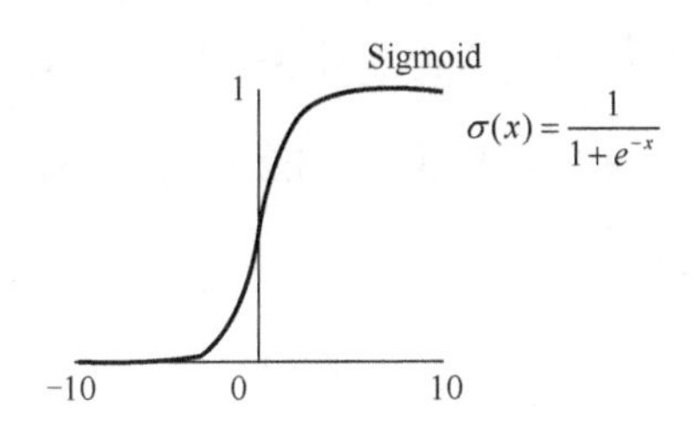

图 5-11　Sigmoid 函数特征曲线

然而，Sigmoid 一个很大的问题是梯度饱和。观察 Sigmoid 函数的曲线，当输入的数字较大（或较小）时，其函数值趋于不变，其导数变得非常小。这样，在层数很多的网络结构中，当进行反向传播时，由于很多个很小的 Sigmoid 导数累积，导致其结果趋于 0，权值更新较慢。

为了解决 Sigmoid 梯度饱和导致训练收敛慢的问题，在 AlexNet 网络中引入了 ReLU 激活函数。ReLU 是一个分段线性函数，如图 5-12 所示。当输入小于或等于 0 时输出为 0，当输入大于 0 时则恒等输出。相比 Sigmoid，ReLU 具有以下优势。

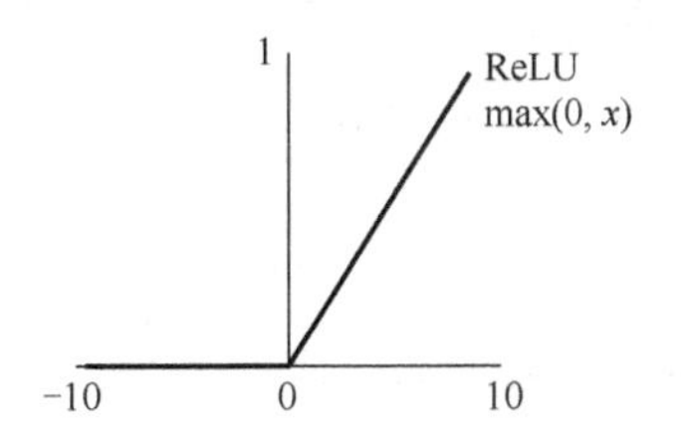

图 5-12　ReLU 函数特征曲线

a. 计算开销小。Sigmoid 的正向传播有指数运算、倒数运算，而 ReLU 是线性输出；在反向传播中，Sigmoid 有指数运算，而 ReLU 有输出的部分，导数始终为 1。

b. 稀疏性。ReLU 会使一部分神经元的输出为 0，这样就造成了网络的稀疏性，并且减少了参数的相互依存关系，缓解了过拟合问题的发生。

前文提到过，使用非线性的激活函数是为了使网络结构有更强的表达能力。这里使用的 ReLU 激活函数本质上是一个线性的分段函数，它是如何进行非线性变换的呢？

如果把神经网络看成一个巨大的变换矩阵 $\boldsymbol{M}$，网络的输入为所有训练样本组成的矩阵 $\boldsymbol{A}$，输出为矩阵 $\boldsymbol{B}$，则 $\boldsymbol{M}$、$\boldsymbol{A}$、$\boldsymbol{B}$ 满足式（5.2）。假设 $\boldsymbol{M}$ 是一个线性变换，则所有的训练样本 $\boldsymbol{A}$ 进行了线性变换输出为 $\boldsymbol{B}$。

$$\boldsymbol{B} = \boldsymbol{M} \cdot \boldsymbol{A} \tag{5.2}$$

对于 ReLU 来说，由于其分段属性，0 的部分可以看成神经元没有被激活。不同的神经元激活或者不激活，其神经元组成的变换矩阵是不一样的。设有两个训练样本 a_1、a_2，其训练时神经网络组成的变换矩阵为 $\boldsymbol{M}_1$、$\boldsymbol{M}_2$，由于 $\boldsymbol{M}_1$ 变换对应的神经网络中激活神经元和 $\boldsymbol{M}_2$ 是不同的，这样 $\boldsymbol{M}_1$、$\boldsymbol{M}_2$ 实际上是两个不同的线性变换。也就是说，每个训练样本使用的线性变换矩阵 $\boldsymbol{M}_i$ 是不一样的。对整个训练样本空间来说，其经历的是非线性变换。简单来说，不同训练样本中的同样的特征，在经过神经网络学习时，流经的神经元是不一样的，因此，最终的输出实际上是输入样本的非线性变换。

③ 池化：使用 3×3 步长为 2 的池化单元进行重叠池化，输出 $27 \times 27 \times 96$ 像素点的结果数据。下面简单介绍一下重叠池化和常规池化的区别。

a. 常规池化：图 5-13 所示为常规池化操作过程，可以看到在常规的池化操作中，数字 1 和 2 代表的两个池化窗口是没有重合的。

b. 重叠池化：图 5-14 所示为重叠池化操作过程，可以看到在重叠池化过程中，相邻的池化窗口之间出现了重叠的区域。在学习训练过程中，采用重叠池化的模型，可以更有效地避免过拟合情况的出现，学习效果更理想。

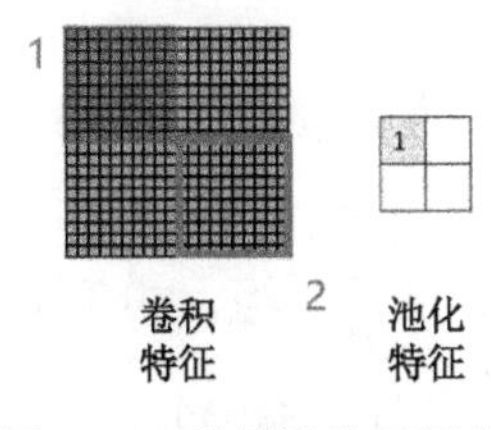

图 5-13 常规池化层操作

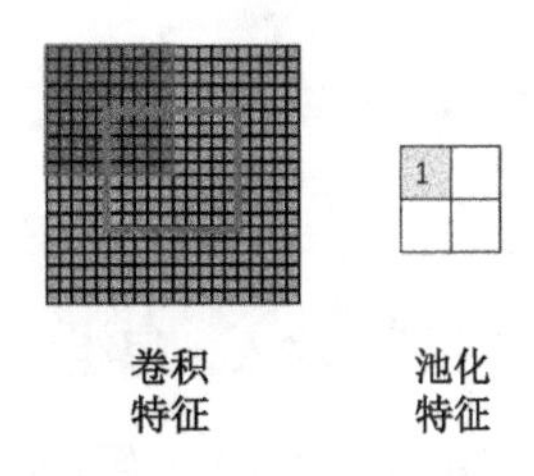

图 5-14 重叠池化层操作

④ 局部响应归一化：当某通道和邻近通道像素绝对值都比较大时，利用归一化操作可以将数值变得更小，使计算更方便和准确。局部响应归一化的计算方法如式（5.3）所示。

$$b_{x,y}^{i}=a_{x,y}^{i}/\left(k+\alpha\sum_{j=\max\left(0,i-\frac{n}{2}\right)}^{\min\left(N-1,i+\frac{n}{2}\right)}\left(a_{x,y}^{j}\right)^{2}\right)^{\beta} \tag{5.3}$$

其中，N 为卷积核个数，k、α、β、n 是超参数；输入 $a_{x,y}^{i}$ 表示神经元激活；输出 $b_{x,y}^{i}$ 表示响应归一化激活；其上标表示当前值所在的通道；(x,y)表示像素位置。

卷积层 C1 中使用局部响应归一化操作后，输出仍然为 27×27×96 像素点的结果，不过由于网络特点，输出分成两组，每组的大小均为 27×27×48 像素点。

（2）卷积层 C2。

该层的处理流程与 C1 类似，同样是：卷积—ReLU—池化—归一化。

卷积：分为两组输入，每组为 27×27×48 像素点。使用 2 组，每组 128 个尺寸为 5×5×48 像素点的卷积核，进行了边缘填充，卷积步长设置为 1。卷积后输出的 FeatureMap 为 2 组各 128 个，每组的大小为 27×27 像素点。

ReLU：将卷积层输出的 FeatureMap 输入 ReLU 函数中。

池化：使用 3×3 步长为 2 的池化单元进行重叠池化，输出 13×13×256 像素点的数据。

局部响应归一化：输出仍然为 13×13×256 像素点的结果，输出分为 2 组，每组的大小为 13×13×128 像素点。

（3）卷积层 C3。

该层的处理流程是：卷积—ReLU。

卷积：分为两组输入，每组为 13 × 13 × 128 像素点，使用 2 组，共 384 个尺寸为 3 × 3 × 256 像素点的卷积核，采用边缘填充，卷积步长设置为 1。输出分为两组，每组的大小为 13 × 13 × 192 像素点。

ReLU：将卷积层输出的 FeatureMap 输入 ReLU 函数中。

（4）卷积层 C4。

该层的处理流程与 C3 类似，同样是：卷积—ReLU。

卷积：分为两组输入，每组为 13 × 13 × 192 像素点，使用 2 组共 384 个尺寸为 3 × 3 × 192 像素点的卷积核，采用边缘填充，卷积步长设置为 1。输出分为两组，每组的大小为 13 × 13 × 192 像素点。

ReLU：将卷积层输出的 FeatureMap 输入 ReLU 函数中。

（5）卷积层 C5。

该层处理流程为：卷积—ReLU—池化。

卷积：分为两组输入，每组为 13 × 13 × 192 像素点，使用 2 组，每组为 128 个尺寸为 3 × 3 × 192 像素点的卷积核，采用边缘填充，卷积步长设置为 1。输出分为两组，每组的大小为 13 × 13 × 128 像素点。

ReLU：将卷积层输出的 FeatureMap 输入 ReLU 函数中。

池化：使用 3 × 3 步长为 2 的池化单元进行重叠池化，输出 2 组 6 × 6 × 128 像素点的数据。

（6）全连接层 FC6。

该层的处理流程为：（卷积）全连接—ReLU—Dropout。

卷积（全连接）：输入为 2 组 6 × 6 × 128 像素点的数据，该层有 4 096 个卷积核，每

个卷积核的大小为 $6 \times 6 \times 256$ 像素点。由于卷积核的尺寸刚好与待处理特征图（输入）的尺寸相同，即卷积核中的每个系数只与特征图（输入）尺寸的一个像素值相乘，一一对应。因此，该层被称为全连接层。由于卷积核与特征图的尺寸相同，卷积运算后只有一个值，因此，卷积后的像素层尺寸为 $4\,096 \times 1 \times 1$，即有 4 096 个神经元。

ReLU：这 4 096 个运算结果通过 ReLU 激活函数生成 4 096 个输出值。

Dropout：一种常用的抑制过拟合方法，是 AlexNet 中一个很大的创新，可以以 0.5 的概率对每个隐层神经元的输出设为 0，即随机地断开某些神经元的连接，或者不激活某些神经元。那些“失活的”的神经元不再进行前向传播，也不参与反向传播。

（7）全连接层 FC7。

该层的处理流程为：全连接—ReLU—Dropout。

全连接：输入 4 096 的运算结果。

ReLU：这个 4 096 运算结果通过 ReLU 激活函数生成 4 096 个输出值。

Dropout：抑制过拟合，随机地断开某些神经元的连接，或者不激活某些神经元。

（8）输出层。

第七层输出的 4 096 个数据与第八层的 1 000 个神经元进行全连接，经过训练后输出 1 000 个浮点型数值，这些数值就是模型的预测结果。

2. VGG

VGG 全称为 Visual Geometry Group，是牛津大学计算机视觉组和 Google DeepMind 公司研究人员一起研发的深度卷积神经网络，取得了 ILSVRC—2014 比赛的亚军，图 5-15 为 VGG 网络结构框图。VGG 模型在多个迁移学习任务中的表现都优于 GoogleNet，而且从图像中提取 CNN 特征，VGG 模型是首选算法。VGG 最大的缺点在于，模型参数量有 140×10^{12} 个之多，因此，需要更大的存储空间，但是这个模型依旧具有很高的研究价值。

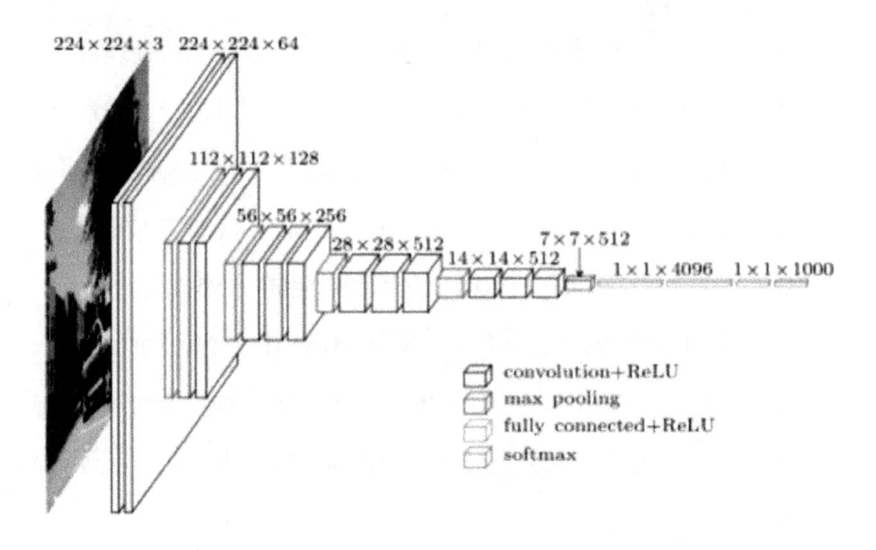

图 5-15 VGG 网络结构框图

VGG 探索了卷积神经网络的深度与其性能之间的关系，成功地构筑了 16～19 层深的卷积神经网络，并且证明了增加网络的深度能够在一定程度上影响网络最终的性能，使错误率大幅下降，同时拓展性又很强，迁移到其他图片数据上的泛化性也非常好。到目前为止，VGG 仍然被广泛用来提取图像特征。VGG 可以看成加深版本的 AlexNet，二者都由卷积层、全连接层两大部分构成。观察图 5-15 的结构框图可以发现 VGG 有如下特点。

（1）结构简洁。VGG 由 5 层卷积层、3 层全连接层、softmax 输出层构成，层与层之间使用最大化池分开，所有隐层的激活单元都采用 ReLU 函数。

（2）小卷积核和多卷积子层。VGG 有一个重要的特点，即它具有小卷积核。VGG 没有采用 AlexNet 中比较大的卷积核尺寸，而是降低卷积核的大小（3×3）来模仿 AlexNet 的网络结构，增加卷积子层数也能够达到相同的目的。这样的改进可以减少参数，并且通过增加非线性映射的次数，提高网络的拟合或表达能力。

（3）小池化核。相比 AlexNet 的 3×3 的池化核，VGG 全部采用 2×2 的池化核。

（4）通道数多。VGG 网络第一层的通道数为 64，后面每层都进行了翻倍，最多 512 个通道。通道数的增加，使得更多的信息可以被提取出来。

（5）层数更深、特征图更宽。由于卷积核专注于扩大通道数，池化专注于缩小宽和高，使得模型架构在更深、更宽的同时，控制了计算量的增加规模。

（6）全连接转卷积。这也是 VGG 的一个特点。在网络测试阶段，将训练阶段的 3 个全连接替换为 3 个卷积，使测试得到的全卷积网络因为没有全连接的限制，可以接收任意宽或高的输入，这在测试阶段是非常重要的。

如图 5-15 所示，输入图像是 224×224×3 像素点，如果后面 3 个层都是全连接，那么在测试阶段就只能将测试的图像全部都缩放大小到 224×224×3 像素点，才能符合后面全连接层的输入数量要求，这样就不便于测试工作的开展。而“全连接转卷积”可以参考图 5-16 进行替换。

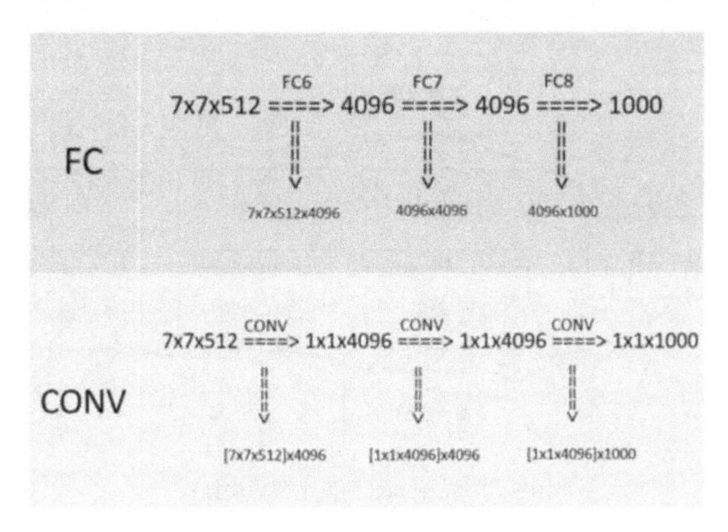

图 5-16　全连接转卷积过程

如图 5-16 所示，如果 7×7×512 像素点的层要跟 4 096 个神经元的层做全连接，则可替换为对 7×7×512 像素点的层作通道数为 4 096、卷积核为 1×1 的卷积。

3. GoogleNet

2014 年，Christian Szegedy 提出了一种全新的深度学习结构——GoogleNet。之前的深度学习结构（如 AlexNet、VGG 等）都是通过增大网络的深度（层数）来提高训练效果的，但层数的增加会带来诸如过拟合、梯度消失、梯度爆炸等负作用。将全连接甚至一般的卷积都转化为稀疏连接才能从根本上解决问题。在传统网络中，计算机的软硬件对非均匀稀疏数据的计算效率很低，导致传统网络无法很好地发挥作用，所以，AlexNet 为了更好地优化并行运算重新启用了全连接层。GoogleNet 的提出则从另一种角度来提升训练结果：在相同的计算量下提取更多的特征，从而提升训练结果，这是高效利用计算资源的一种表现。

Inception 网络结构是 GoogleNet 的核心，它构建了一种“基础神经元”结构，来搭建一个稀疏性、高计算性能的网络结构。网络主要模块结构如图 5-17 所示。

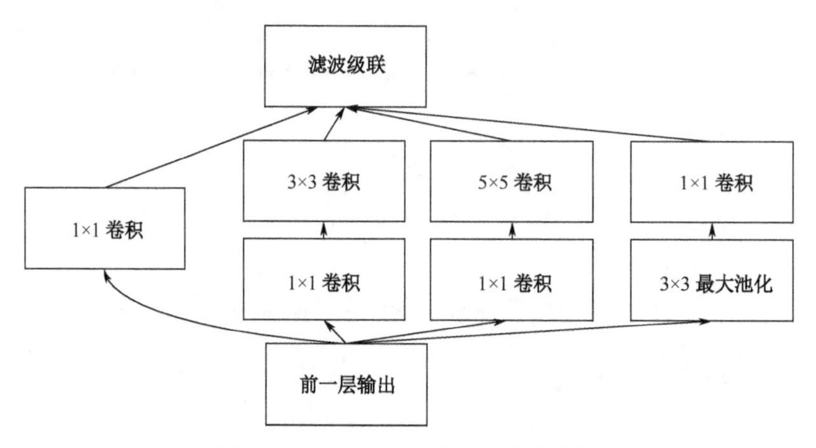

图 5-17　Inception 网络主要模块结构

整个 Inception 结构是由多个这样的模块串联起来的，Inception 结构的主要优势有两个。

（1）使用 1×1 的卷积来进行升降维。在相同尺寸的模块中叠加更多的卷积，能提取更丰富的特征。对于某个像素点来说，1×1 卷积等效于该像素点在所有特征上进行一次全连接的计算，每一个卷积后面都需要紧跟着激活函数。将两个卷积串联，就能组合出更多的非线性特征。

使用 1×1 卷积进行降维，降低了计算复杂度。当某个卷积层输入的特征数较多，对这个输入进行卷积运算，将产生巨大的计算量；如果对输入先进行降维，减少特征数后再做卷积，计算量就会显著减少。

（2）在多个尺寸上同时进行卷积再聚合。

从直观感觉上，在多个尺度上同时进行卷积，能提取不同尺度的特征。特征更为丰富，也意味着最后分类判断时更加准确。

另一方面，利用稀疏矩阵分解成密集矩阵计算的原理，可以加快收敛速度。例如，一个稀疏矩阵（很多元素都为 0，不均匀地分布在矩阵中）和一个 2×2 的矩阵进行卷积，就需要对稀疏矩阵中的每一个元素进行计算；如果把稀疏矩阵分解成 2 个子密集矩阵，再和 2×2 矩阵进行卷积，稀疏矩阵中，0 较多的区域就可以不用计算，计算量大大降低。应用到 Inception 上就是要将特征维度进行分解。传统的卷积层的输入数据只和一种尺度（如 3×3）的卷积核进行卷积，输出固定维度（如 256 个特征）的数据，所有 256 个输出特征基本上是均匀分布在 3×3 尺度范围上的，这可以理解成输出了一个稀疏分布的特征集；而 Inception 模块在多个尺度上提取特征（如 1×1，3×3，5×5），输出的 256 个特征就不再是均匀分布了，而是相关性强的特征聚集在一起（例如，1×1 的 96 个特征聚集在一起，3×3 的 96 个特征聚集在一起，5×5 的 64 个特征聚集在一起），这可以理解成多个密集分布的子特征集。在这样的特征集中，因为相关性较强的特征聚集在了一起，不相关的非关键特征就被弱化，同样是输出 256 个特征，Inception 方法输出的特征“冗余”的信息较少。用这样“纯”的特征集层层传递，最后作为反向计算的输入，自然收敛的速度更快。

5.3.2 深度学习的正则化

许多策略被显式地设计来减少测试误差（可能以增大训练误差为代价），这些策略被统称为正则化。正则化是一种旨在减少泛化误差（而不是训练误差）对学习算法的修改。在深度学习的背景下，大多数正则化策略是对估计进行正则化，以偏差的增加换取方差的减少。

神经网络虽然号称“万能近似”，但是并不能保证训练算法能够学习这个函数，既可能找不到正确的参数，也可能因为过拟合而选择错误的参数。找到合适规模的模型也不一定能解决模型训练的问题，所以在更多的场景中需要训练一个适当正则化的大型模型。

许多正则化方法（如神经网络、线性回归、逻辑回归）通过对目标函数 J 添加一个参数范数惩罚 $\Omega(\theta)$，来限制模型的学习能力。如果将正则化后的目标函数标记为 $\tilde{J}$，则 $\tilde{J}$ 满足式（5.4）：

$$\tilde{J}(\theta;X,y)=J(\theta;X,y)+\alpha\Omega(\theta) \tag{5.4}$$

其中，$\alpha\in[0,+\infty)$，表示参数范数惩罚程度的超参数；$\alpha=0$ 表示没有正则化，α 越大，对应正则化惩罚越大。

在神经网络中，参数包括每层线性变换的权重和偏置，通常只对权重做正则惩罚，而不对偏置做惩罚，使用向量 $\boldsymbol{\omega}$ 表示应受惩罚影响的权重，用向量 $\boldsymbol{\theta}$ 表示所有参数。

1. L2 正则化

L2 正则化，也可称为零回归、Tikhonov 正则，通常被称为权重衰减（weight decay），是通过向目标函数添加如式（5.5）的正则项，使权重更加接近原点。

$$\Omega(\theta)=\frac{1}{2}\|\omega\|_2^2 \tag{5.5}$$

目标函数经过 L2 参数正则化后，可变换为式（5.6）的形式。

$$\tilde{J}(\omega;X,y)=J(\omega;X,y)+\frac{\alpha}{2}\omega^{\mathrm{T}}\omega \tag{5.6}$$

计算梯度如式（5.7）所示。

$$\nabla_{\omega}\tilde{J}(\omega;X,y)=\nabla_{\omega}J(\omega;X,y)+\alpha\omega \tag{5.7}$$

更新的权重利用式（5.8）计算。

$$\omega\leftarrow\omega-\int\left(\alpha\omega+\nabla_{\omega}J(\omega;X,y)\right)=\left(1-\int\alpha\right)\omega-\int\nabla_{\omega}J(\omega;X,y) \tag{5.8}$$

从式（5.8）可以看出，加入权重衰减后会导致学习规则的修改，即在每步执行梯度更新前先收缩权重。

2. L1 正则化

将 L2 正则化的参数惩罚项$\Omega(\theta)$由权重衰减项修改为各个参数的绝对值之和，即可得到 L1 正则化，公式表示如（5.9）所示。

$$\Omega(\theta)=\|\omega_1\|=\sum_i|\omega_i| \tag{5.9}$$

目标函数变换为式（5.10）的形式。

$$\tilde{J}(\omega;X,y)=J(\omega;X,y)+\alpha\|\omega_1\| \tag{5.10}$$

计算梯度如式（5.11）所示。

$$\nabla_{\omega}\tilde{J}(\omega;X,y)=\nabla_{\omega}J(\omega;X,y)+\alpha\,\mathrm{sgn}(\omega) \tag{5.11}$$

其中，$\mathrm{sgn}(x)$为符号函数，取各个元素的正负号。

3. 噪声鲁棒性

模型容易过拟合的原因之一就是没有太好的抗噪能力。如果输入数据稍微改变一点，就可能得到完全不一样的结果。提高网络抗噪能力的最简单方法，就是在训练中加入随机噪声一起训练，可以向网络中的不同位置（输入层、隐藏层、输出层）加入噪声。在某种意义上，数据集增强可以看作在输入层加入噪声，通过随机旋转、翻转、色彩变换、裁剪等操作，人工扩充训练集的大小，这样可以使网络对输入更加鲁棒；前面介绍过的 Dropout 方法属于在隐藏层中加入噪声的一种方式。

另外，数据集的内容并不能保证 100%标记正确，多多少少总会有一点错误情况发生，解决这个问题最常见的办法是标签平滑，即通过把确切的分类目标从 0 和 1 替换成 $\epsilon/(k-1)$和 $1-\epsilon$，正则化具有 k 个输出的 softmax 函数的模型，这样可以防止模型追求确切的概率，而不能学习正确分类。

在一般情况下，注入噪声远比简单地收缩参数强大，特别是噪声被添加到隐藏单元时会更加强大。从优化过程的角度来看，对权重叠加方差极小的噪声等价于对权重施加范数惩罚。因为在权重中添加了一些随机扰动，将会驱使优化过程找到一个参数空间。该空间对微小参数变化引起的输出变化影响很小，因此，模型参数进入这样的区域，找到的不只是极小值点，还有平坦区域包围的极小点。

5.3.3 深度模型的优化

1. 学习和优化

在大多数机器学习问题中，关注的是算法的某些性能指标（如人脸识别的检测率）。这些指标与测试集相关，并且不可以通过直接计算求解，因此，只是间接地优化这些性能指标。机器学习算法的目标是降低期望泛化误差，但是由于很难知道数据的真实分布，只能用经验分布来代替真实分布，因此只能对这一误差寻求最小化。

因为利用训练集上的所有样本来计算代价函数的期望值，这一过程的计算量是非常大的，所以在深度学习中经常使用小批量随机方法（minibatch stochastic）来训练模型。值得注意的是，虽然批量的增大会获得更精确的梯度估计，但是回报是小于线性的，同时由于内存资源的限制，也导致很难选择非常大的批量数据。根据经验，将批量大小设置为 1 时通常可以获得比较理想的泛化误差。

小批量的随机抽取是非常重要的，为了从一组样本中计算出梯度期望的无偏估计，就要求这些样本是独立的，同时，也希望两个连续的梯度估计是相互独立的，因此两个连续的小批量样本也应该是彼此独立的。也就是说，在训练前，应该打乱样本顺序。

2. 局部极小值

代价函数是学习模型优化时的目标函数或准则，通过最小化代价函数来优化模型，根据选择的模型算法的不同，使用的代价函数也可以不同，可以根据实际情况来自由选定。

由于神经网络的不可辨认性，神经网络代价函数具有非常多甚至无限多的局部极小值。然而，所有这些由于不可辨识性问题而产生的局部极小值都有相同的代价函数值，因此，这些局部极小值并非是算法本身所带来的问题。但如果局部极小值相比全局最小点拥有很大的代价，那么局部极小值将会带来很大的隐患。有学者猜想，对于足够大的神经网络而言，大部分局部极小值都具有很小的代价函数，因此是否可以找到真正的全局最小点并不重要，重要的是需要在参数空间中找到一个代价很小（但不是最小）的点。

3. 悬崖与梯度爆炸

高度非线性的深度神经网络或循环神经网络的目标函数通常包含由几个参数连乘而导致的参数空间中的非线性，这些非线性在某些区域会产生非常大的导数，导致出现像悬崖一样的斜率较大的区域，如图 5-18 所示。当遇到这种悬崖结构时，梯度更新会大幅地改变参数的值，进而跳过这样的区域。不管是从上还是从下接近悬崖，都会产生不好的结果。通常，在这种情况下可以采用启发式梯度截断，即在梯度上只指明移动的最佳方向，并没有指明最佳步长，因此启发式梯度截断会减小步长，使得梯度下降不太可能一步走出最陡下降方向的悬崖区域。

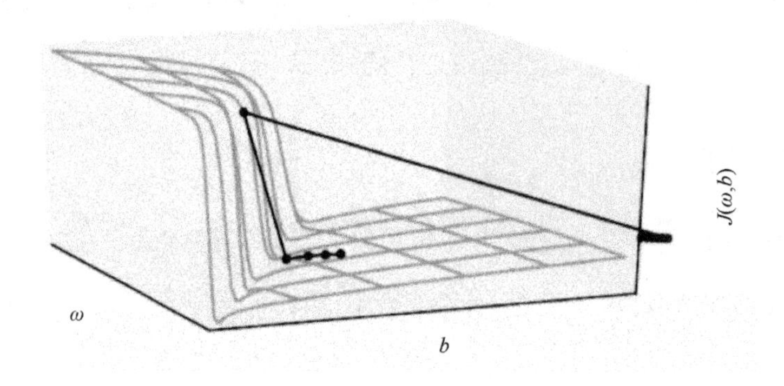

图 5-18　斜率较大的区域

4. 局部和全局结构间的弱对应

以上讨论的大都是单点性质，如果利用梯度下降，在某个方向上损失函数改进很大，但是并没有指向全局代价更低的遥远区域，这样单点处表现很好，但是全局表现不佳。有学者认为，大部分训练的运行时间取决于到达最终解的路径长度，大多数优化研究难点集中于训练是否找到了全局最小点、局部最小点、鞍点，但是在实践中，神经网络并不会到达任何局部。

梯度下降和几乎所有可以有效训练神经网络的方法，都是基于局部较小更新的。以上内容都是集中于为何这些局部范围更新的正确方向难以计算，但是难以确定局部下降能否定义通向有效解的足够短的路径。目标函数可能有诸如病态条件或不连续梯度的问题，使梯度为目标函数提供近似的区间非常小。有些情况下，局部下降或许可以定义通向解的路径，但是该路径包含很多次更新，因此，遵循该路径会带来很大的计算代价。还有些情况下，局部下降完全无法定义通向解的路径，又或者局部移动太过贪心，朝着下坡的方向移动，会和所有可行解越来越远。

许多现有的研究方法在研究求解具有困难全局结构的问题时，均着力于寻找良好的初始点，而不是在局部范围内更新算法，因为前者的实现难度更小，可操作性更好。

5.4 深度学习应用

5.4.1 计算机视觉

目前，计算机视觉是深度学习应用最热门的研究领域之一，它实际上是一个跨领域的交叉学科，包括计算机科学（图形、算法、理论、系统、体系结构）、数学（信息检索、机器学习）、工程学（机器人、语音、自然语言处理、图像处理）、物理学（光学）、生物学（神经科学）和心理学（认知科学）等。许多科学家认为，计算机视觉为人工智能的发展开拓了道路。下面简单介绍在计算机视觉应用领域涉及的较为关键的技术。

计算机视觉具有两个主要研究维度，分别为语义感知（Semantic）和几何属性（Geometry），计算机视觉研究纬度如图 5-19 所示。计算机视觉的研究目标为解决“像素值”与“语义”之间的差距，如图 5-20 所示。

1. 图像增广

在介绍 AlexNet 时曾经提到过，大规模数据集是成功应用深度神经网络的前提。对训练图像做一系列随机的变化会产生相似但又完全不同的训练样本，进而获得更大规模的训练数据集。还可以理解为，随机改变训练样本可以提高模型的泛化能力，降低模型对某些属性的依赖。例如，对图像进行不同方式的裁剪可以使感兴趣的物体出现在不同位置，从而减轻模型对物体出现位置的依赖性。也可以调整亮度、色彩等因素来降低模型对色彩的敏感度。可以说，在当年 AlexNet 的成功中，图像增广技术功不可没。

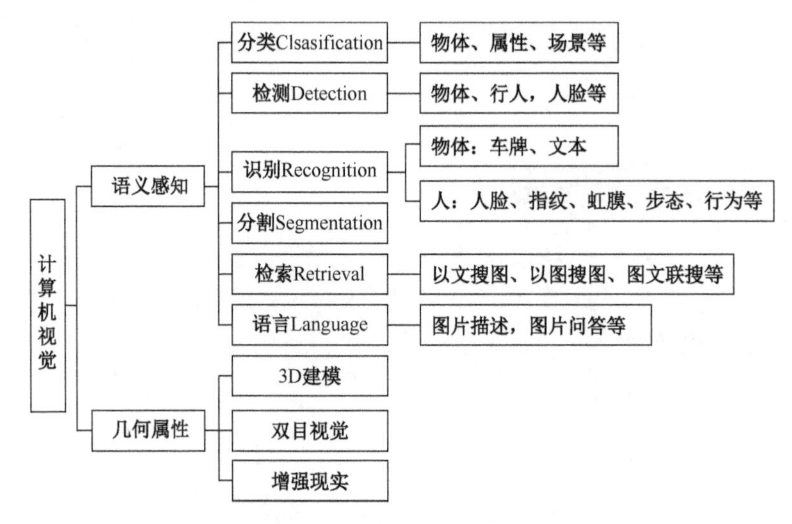

图 5-19　计算机视觉研究纬度

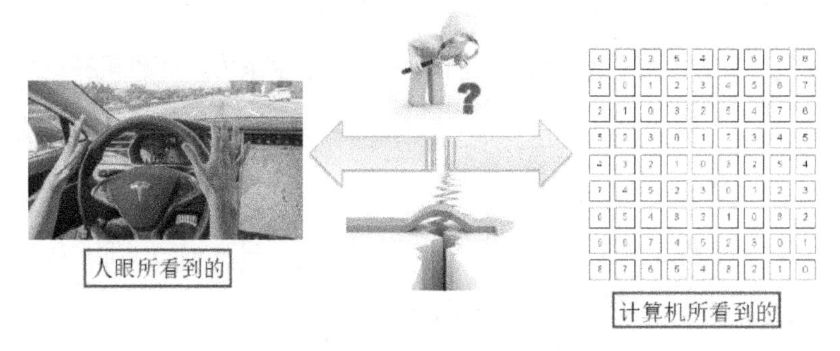

图 5-20　计算机视觉研究目标

2. 图像分类（参见图 5-21）

给定一组各自被标记为单一类别的图像，对一组新的测试图像的类别进行预测，并计算预测的准确性，这就是图像分类问题。图像分类问题需要面临以下几个挑战：视点变化、尺度变化、类内变化、图像变形、图像遮挡、照明条件和背景杂斑干扰。

图 5-21 图像分类

计算机视觉研究人员提出了一种基于数据驱动的方法，该方法并不是直接在代码中指定每个感兴趣图像的类别，而是为计算机对每个图像类别都提供许多示例，然后设计一个学习算法，查看这些示例，并学习每个类别的视觉外观。也就是说，算法首先积累一个带有标记图像的训练集，然后将其输入计算机中，由计算机来处理这些数据。可以按照下面的步骤来分解实现：

① 输入是由 N 个图像组成的训练集，共有 K 个类别，每个图像都被标记为其中一个类别；

② 使用该训练集训练一个分类器，来学习每个类别的外部特征；

③ 预测一组新图像的类标签，评估分类器的性能，我们用分类器预测的类别标签与其真实的类别标签进行比较。

3. 对象检测（参见图 5-22）

对图像中的特定对象进行识别，这一任务通常需要为各个检测到的对象绘制边界框和输出分类标签。不同于分类/定位任务，它需要对个别主体对象进行分类和定位。在对象检测中，一般只有 2 个对象分类类别，即对象边界框和非对象边界框。例如，在汽车检测中，必须使用边界框检测给定图像中的所有汽车。

图 5-22　对象检测

如果使用图像分类和定位图像这样的滑动窗口技术，则需要将神经网络应用于图像上的很多不同物体之上。由于神经网络会将图像中的每个物体识别为对象或背景，因此，需要在大量的位置和规模上使用神经网络，但是这需要很大的计算量。

为了解决这一问题，神经网络研究人员建议使用区域（region）这一概念，这样就会找到可能包含对象的“斑点”图像区域。采用这种方法，计算速度就会大大提高。例如，基于区域的卷积神经网络（R-CNN），其算法原理简单描述如下：

1）在 R-CNN 中，首先使用选择性搜索算法扫描输入图像，寻找其中的可能对象，从而生成大约 2 000 个区域建议；

2）建议在这些区域上运行一个卷积神经网络；

3）将每个卷积神经网络的输出传输给支持向量机（SVM），使用一个线性回归收紧对象的边界框。

4. 目标跟踪（参见图 5-23）

目标跟踪，是指在特定场景对某一个或多个特定感兴趣对象进行跟踪的过程。传统应用已经实现了视频和真实世界的交互，可以在检测到初始对象之后对其进行跟踪观察。目前，目标跟踪在无人驾驶领域也发挥着重要的作用。例如，Uber 和特斯拉等公司的无人驾驶汽车已经采用了目标跟踪技术，并且获得了较为理想的效果。

图 5-23　目标跟踪

根据观察模型的不同，目标跟踪算法可以分为 2 类：生成算法和判别算法。生成算法使用生成模型来描述表观特征，同时本着使重建误差最小化的目的来搜索跟踪目标，如比较经典的主成分分析算法（PCA）；判别算法用来区分物体和背景时，其性能更稳定，并且逐渐成为跟踪对象的主要手段。判别算法也称为 Tracking-by-Detection 算法，深度学习可以归类为这一算法。

5. 语义分割（参见图 5-24）

图 5-24　语义分割

计算机视觉是以分割为核心目标的，首先将整个图像分成一个个像素组，然后标记和分类。语义分割试图在语义上理解图像中每个像素的角色。如图 5-24 所示，除了识别人、道路、汽车、树木之外，还必须确定每个物体的边界。与分类不同，需要用模型对密集的像素进行预测。

与其他计算机视觉应用一样，卷积神经网络在分割任务上也取得了巨大的成功。其中，广为使用的实现方法之一便是通过滑动窗口进行“块”分类，利用每个像素周围的图像块，对每个像素分别进行分类。但是这种方法不能在重叠块之间重用共享特征，所以其计算效率非常低。

加州大学伯克利分校提出的全卷积网络（FCN），可以较好地解决这一问题。它提出了端到端的卷积神经网络体系结构，可以在没有任何全连接层的情况下进行密集预测。这种方法允许针对任何尺寸的图像生成分割映射，并且比块分类算法快得多，几乎后续所有的语义分割算法都采用了这种范式，图 5-25 所示即 FCN 网络架构。

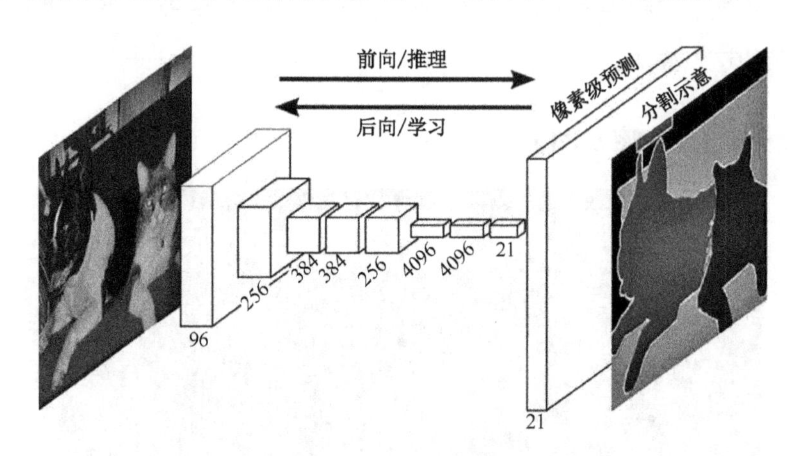

图 5-25　FCN 网络架构

另外，由于在原始图像分辨率上进行卷积运算效率较低，因此 FCN 在网络内部使用了下采样和上采样技术构建图像的下采样层和上采样层，对图像分辨率进行了调整。下采样层被称为条纹卷积（striped convolution）；而上采样层被称为反卷积（transposed convolution）。

尽管采用了上采样层和下采样层，但由于池化期间的信息丢失，FCN 会生成比较粗糙的分割映射。SegNet 是一种比 FCN 更高效的内存架构，该架构使用最大池化和编码解码框架，在 SegNet 解码技术中，从更高分辨率的特征映射中引入了 shortcut/skip connections，从而改善上采样和下采样后的粗糙分割映射。

6. 实例分割

除语义分割外，实例分割将不同类型的实例进行分类，例如，用 5 种不同颜色来标记 5 辆汽车。通常来说，分类任务就是识别出包含单个对象的图像是什么，但在分割实例时，一般需要执行更复杂的任务。当在图像中看到多个重叠物体和不同背景的复杂景象时，不仅需要将这些不同的对象进行分类，而且还要确定对象的边界、差异和彼此之间的关系，图 5-26 就是一个很好的实例分割示例图。

图 5-26 实例分割示例图

由于涉及如此多的专业知识，普通的工程人员由于专业背景知识的缺乏，非常难以介入计算机视觉领域；而纯粹的研究人员，则需要一个简单易行的工程开发工具来验证自己的想法是否可以达到设定的目的，甚至达到一定的效果。

5.4.2　自然语言处理

自然语言处理应用中仍有许多具有挑战性的问题需要解决。自然语言处理所采用的核心技术正在从统计方法转变为神经网络方法，深度学习方法在一些特定的语言问题上已经取得了很多可观的研究成果。事实上，一个单一的深度学习模型可以学习词义，并执行语言任务，从而降低了对传统的基于专业人工处理方法的依赖。

自然语言处理的任务有很多，如文本分类、语言建模、语音识别、字幕生成等。在本书第 3 章中已经对语音识别的应用进行了讲解，后续章节将以实验的形式对文本分类问题进行细致的介绍。

文本分类指的是给出一个文本实例，预测出一个符合该文本的预定义的类标签。文本分类的目的是对文档的标题或主题进行分类。

5.4.3　其他应用

深度学习的应用领域日趋广泛，已经延伸到了生活中的方方面面。例如，在生活服务类的电子商务平台首页的“猜你喜欢”、“美食推荐”等重要的业务场景都是根据用户的搜索习惯、浏览喜好进行的精准推荐；在图片处理的时候，利用深度学习的手段可以让机器自己学习一些自然规律，记住特定物品的常见颜色：蓝色的天空、白色的云等，让它们可以在黑白照片中自主识别物品并还原颜色，可以对一些老旧甚至褪色的照片进行修复处理；在医学检测领域，机器可以通过对大量医疗图像数据进行学习，总结出某些特征的模型，并基于此模型对病人的健康状况进行诊断。

5.5 演示实验

5.5.1 基于深度神经网络的图像分类

这个实验展示的是深度学习非常广泛的一个应用——图像分类。算法的实现过程可以简单概括为利用已有的大量数据集，首先构建出自己的深度神经网络；然后使用数据集中的训练集对该网络进行训练，调节其中的权重和偏置值；最后使用该网络对数据集中的测试集进行测试，并计算分类准确率以评测深度神经网络的图像分类性能。本演示实验将会基于 Pycharm+Python3，利用 OpenCV 工具库，结合其自带的 Caffe 框架和 DNN 网络，实现对图像的分类应用。下面将对各个主要部分进行介绍。

（1）Pycharm。Pycharm 是一种 Python IDE，带有一整套可以帮助用户在使用 Python 语言开发时提高其效率的工具，如调试、语法高亮、Project 管理、代码跳转、智能提示、自动完成、单元测试、版本控制等。此外，该 IDE 提供了一些高级功能，用于支持 Django 框架下的专业 Web 开发。

（2）OpenCV。OpenCV 是一个跨平台计算机视觉库，它的发行是以 BSD 许可（开源）为基础的，可以运行在 Linux、Windows、Android 和 MacOS 操作系统上，支持各种编程语言，轻量级且高效——由一系列 C 函数和少量 C++类构成，同时提供了 Python、Ruby、MATLAB 等语言的接口，实现了图像处理和计算机视觉方面的很多通用算法。另外，基于 CUDA 和 OpenCL 的高速 GPU 操作接口也在积极开发中。

OpenCV 于 1999 年由 Gary Bradsky 在英特尔创立，第一个版本于 2000 年问世，随后 Vadim Pisarevsky 加入了 Gary Bradsky，主要负责管理英特尔的俄罗斯软件 OpenCV

团队；2005 年，OpenCV 被用于 Stanley 车型，并赢得 2005 年 DARPA 大挑战赛冠军；后来，它在 Willow Garage 的支持下持续并积极发展，转为由 Gary Bradsky 和 Vadim Pisarevsky 领导该项目。OpenCV 现在支持与计算机视觉和机器学习相关的众多算法，并且正在日益扩展。

尽管是用 C++语言来编写 OpenCV 的，它的主要接口也是 C++语言，但是依然保留了大量的 C 语言接口。同时，OpenCV 库也有大量的 Python、Java 和 MATLAB 的接口，这些语言的 API 接口函数可以通过在线文档获得。OpenCV-Python 是 OpenCV 的 Python API，它结合了 OpenCV C++ API 和 Python 语言的最佳特性。OpenCV 拥有包括 500 多个 C 函数的跨平台的中、高层 API，它不依赖于其他的外部库——尽管也可以使用某些外部库。

OpenCV 为学术研究与工程开发的结合提供了一个得心应手的开发工具或应用平台。它作为一个开放源代码的应用平台，有大量的 OpenCV 学习资源可以在互联网上找到，OpenCV 的发展已经从少数人的兴趣爱好逐渐转变为一个系统的、有科研和商业应用价值的研发平台。

近年来，在中国已经有越来越多的学生、科研人员和应用开发人员开始在计算机视觉的研究和工程应用领域使用 OpenCV，并逐步把 OpenCV 作为自己所从事职业的一个忠实伙伴。“工欲善其事，必先利其器。”对于从事机器视觉应用技术开发的工程师来说，他们所追求的是功能强大又快捷、高效的工具，既能保证开发出来的视觉系统足以满足复杂应用现场的实际需求，又能快速完成一系列复杂算法的开发。拥有的冲锋枪，它带给开发人员两个重要法宝——威力、速度；它对企业和开发人员具有两大“致命”诱惑——开放源码、完全免费。

OpenCV 具有模块化结构，这就意味着开发包里面包含多个共享库或静态库。下面是可以使用的模块及其功能概述。

① 核心功能（Core functionality）。一个紧凑的模块，定义了基本的数据结构，包括密集的多维 Mat 数组和被其他模块使用的基本功能。

② 图像处理（Image processing）。一个图像处理模块，它包括线性和非线性图像滤波、几何图形转化（重置大小、放射和透视变形、通用基本表格重置映射）、色彩空间转换、直方图等。

③ 影像分析（video）。一个影像分析模块，包括动作判断、背景弱化和目标跟踪算法。

④ 3D 校准（calib3d）。基于多视图的几何算法，可以实现平面和立体摄像机校准、对象姿势判断、立体匹配算法和 3D 元素的重建。

⑤ 平面特征（features2d）。特征判断，特征描述和对特征描述的对比。

⑥ 对象侦查（objdetect）。目标和预定义类别实例化的侦查（如脸、眼睛、杯子、人、汽车等）。

⑦ highgui。一个容易使用的用户功能界面。

⑧ 视频输入输出（videoio）。一个容易使用的视频采集和视频解码器。

⑨ GPU。来自不同 OpenCV 模块的 GPU 加速算法。

（3）Caffe。Caffe（Convolutional architecture for fast feature embedding）是一个兼具表达性、速度和思维模块化的深度学习框架，最初是加利福尼亚大学伯克利分校开发出来的，由伯克利人工智能研究小组和伯克利视觉和学习中心开发。Caffe 在 BSD 许可下开源，内核采用 C++编写，具有 Python 和 Matlab 的相关接口。Caffe 支持多种类型的深度学习架构，应用于学术研究项目、初创原型，甚至视觉、语音和多媒体领域的大规模工业应用，面向图像分类和图像分割，支持 CNN、RCNN、LSTM 和全连接神经网络设计。

Caffe 完全开源，以模块化原则设计，实现了对新的数据格式、网络层和损失函数的轻松扩展；Caffe 使用谷歌的 Protocol Buffer 定义模型文件，使用特殊的文本文件 prototxt 表示网络结构，实现了表示和实现的分离；Caffe 提供了 Python 和 MATLAB 接口，供使用者选择熟悉的语言调用部署算法应用；Caffe 利用 MKL、Open BLAS、cu BLAS 等计算库，利用 GPU 实现计算加速。

Caffe 中的数据结构是以 Blobs-layers-Net 形式存在的。其中，Blobs 是通过 4 维（num,channel,height,width）向量形式存储网络中的所有权重、激活值及正向和反向的数据。作为 Caffe 的标准数据格式，Blob 提供了统一的内存接口。Layers 表示的是神经网络中的具体层，如卷积层等，是 Caffe 模型的本质内容和执行计算的基本单元。Layers 层接收底层输入的 Blobs，向高层输出 Blobs，在每层会实现前向传播和后向传播。Net 是由多个层连接在一起的，组成的有向无环图。

（4）DNN

DNN（Deep Neural Network）深度神经网络模型，又称为全连接神经网络，可以理解为有很多隐藏层的神经网络，是基本的深度学习框架，有时也称为多层感知机（Multi-Layer perceptron，MLP）。与 RNN 循环神经网络、CNN 卷积神经网络的区别就是，DNN 特指全连接的神经元结构，并不包含卷积单元或者时间上的关联。

图 5-27 为典型的 DNN 网络架构。从图中 5-27 可以看到，DNN 内部的神经网络层可以分为三类：输入层、隐藏层和输出层。一般来说，第一层是输入层，最后一层是输出层，而中间各层都是隐藏层，层与层之间是全连接的。也就是说，第 i 层的任意一个神经元一定与第 $i+1$ 层的任意一个神经元相连。进一步增加隐藏层，容纳更多的神经元，比起浅层模型在特征工程和模型工程的各种尝试，神经网络通过更多的神经元可以直接增强模型的能力。

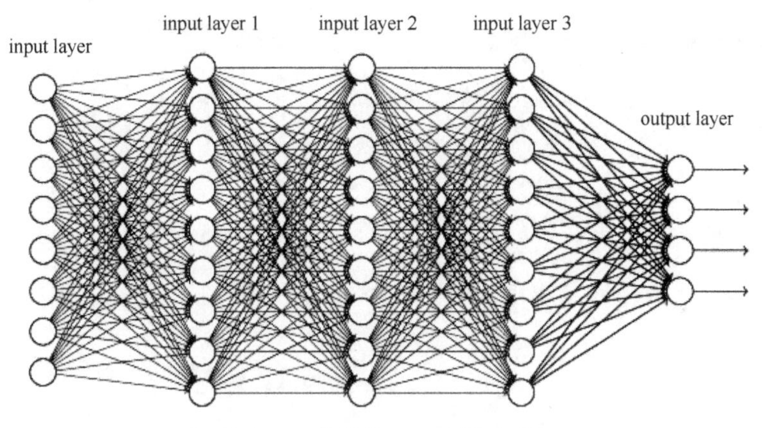

图 5-27 典型的 DNN 网络架构

虽然 DNN 看起来很复杂，但是从小的局部模型来说，还是和感知机一样，即一个线性关系加上一个激活函数。但是，由于 DNN 层数多，线性关系系数和偏置的数量也很多。具体的计算方法不再赘述。

（5）环境搭建

在官方网站 https://www.jetbrains.com/下载 Pycharm 安装包，安装完成后打开软件，新建 Python 工程，Pycharm 新建工程界面可参考图 5-28，单击创建（Create）按钮后，进入图 5-29 所示的工作界面。其中，左侧为工程列表，右侧为工作区。

在菜单栏选择参数配置选项，进入图 5-30 配置页面（Windows 系统下可以选中“工程”，单击右键选择 Setting 选项）。在参数配置界面可以安装所需的工具包，如 numpy、OpenCV 等。单击图 5-30 中的“+”按键，在弹出界面的搜索栏中填写要安装的工具包名称，如 numpy，在搜索列表选中要安装的工具包后，单击“Install Package”等待自动安装完毕，如图 5-31 所示。安装完毕后，可在配置界面看到已安装的工具包自动更新，如图 5-32 所示，然后就可以在程序中利用 import 语句正常导入和使用了。

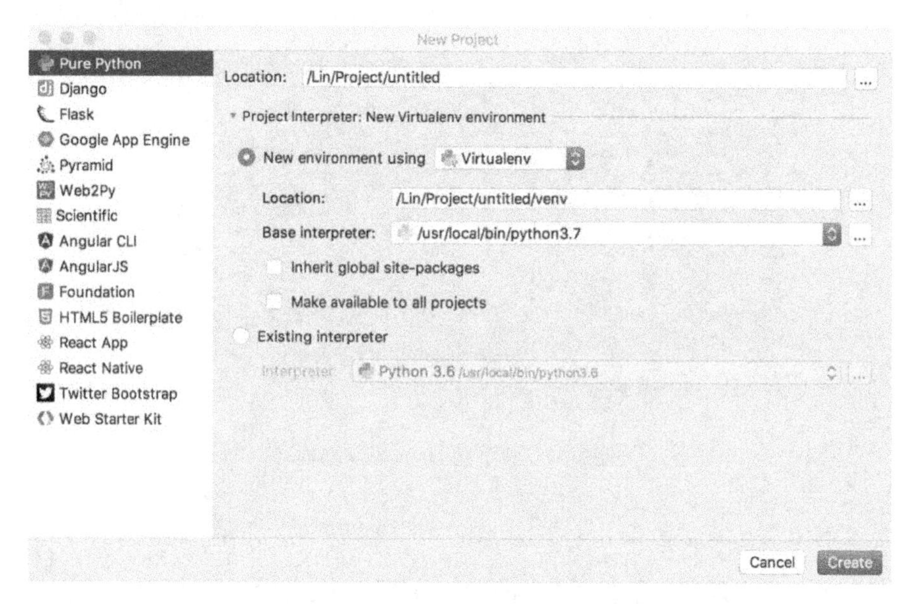

图 5-28　Pycharm 新建工程界面

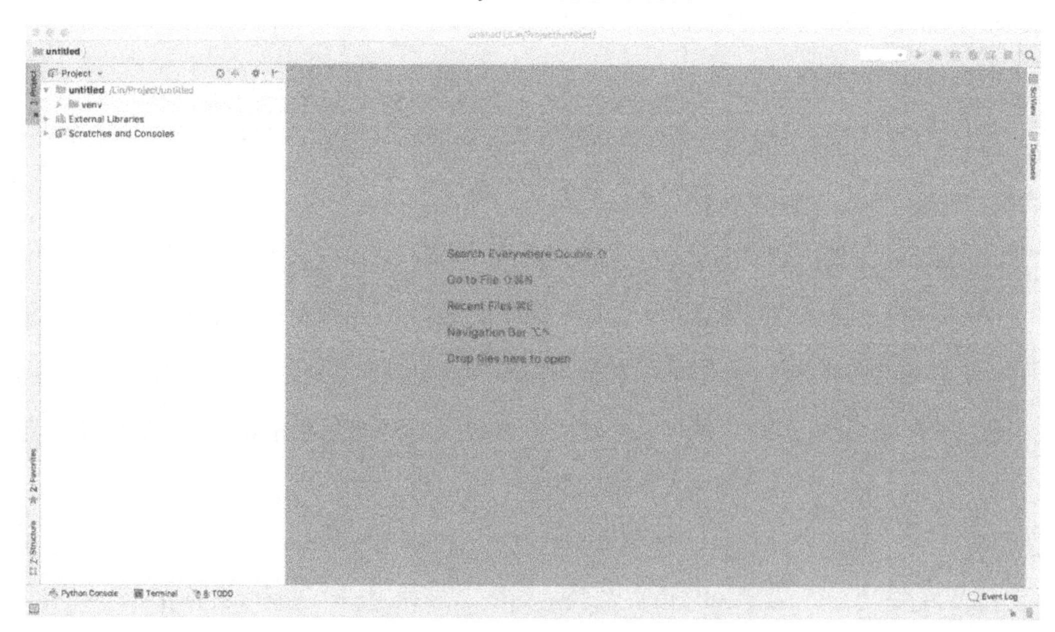

图 5-29　Pycharm 工作界面

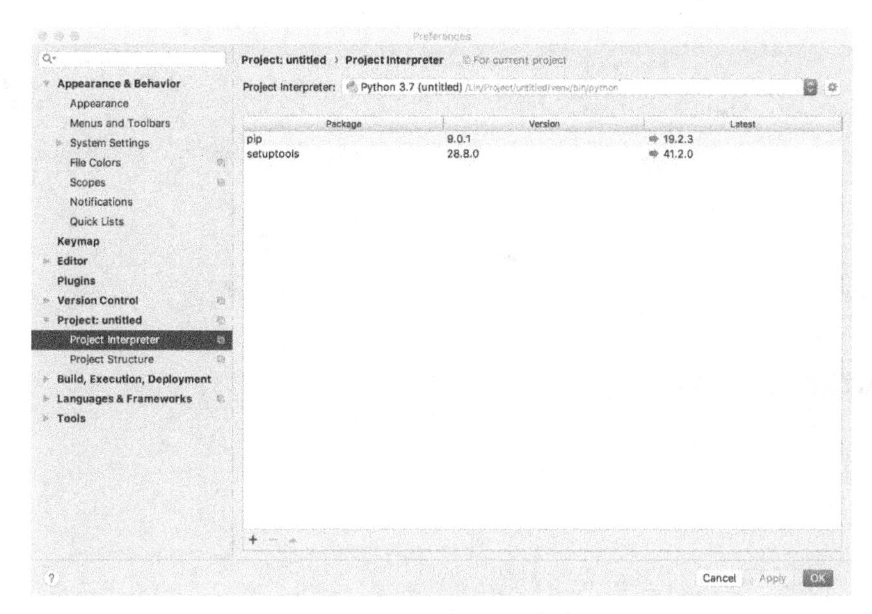

图 5-30　工程参数配置界面

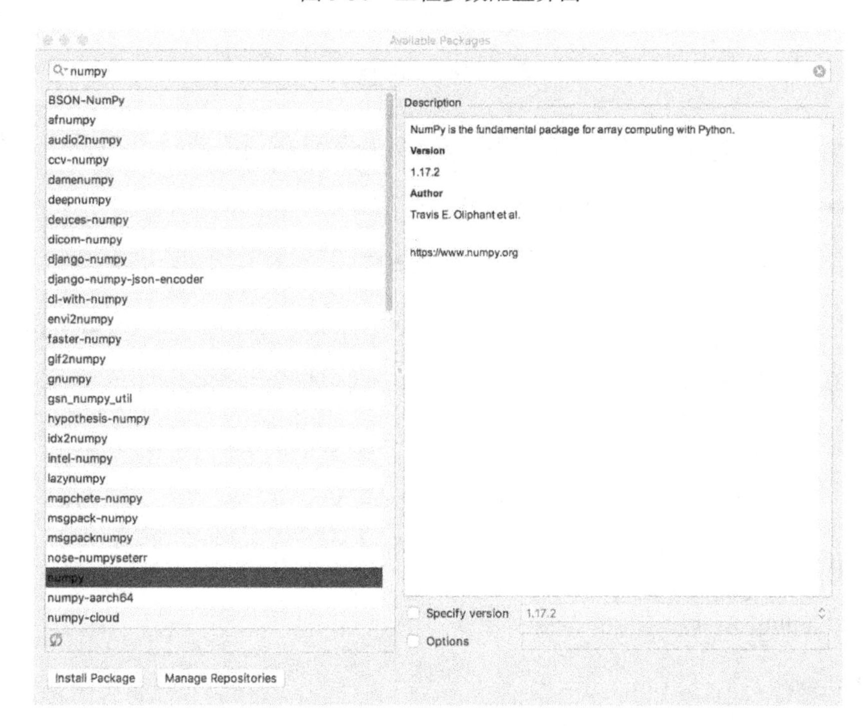

图 5-31　工具包安装界面

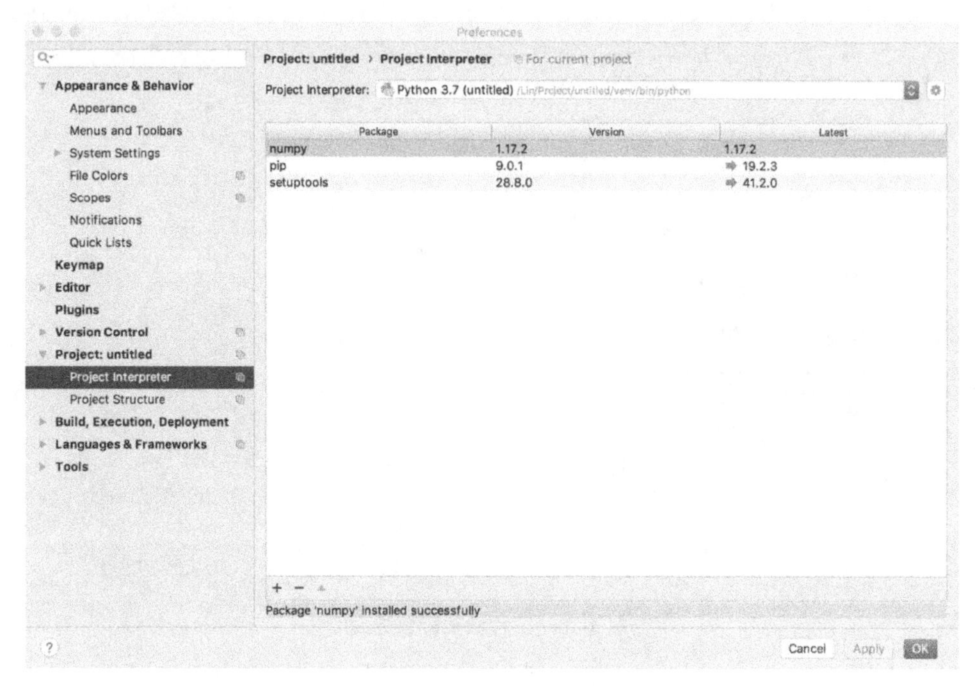

图 5-32 工具包安装成功界面

下面新建一个 Python 文件体验一下，Windows 系统下可以选中“工程”，单击右键，选择“New-Python File”选项创建文件。

（6）代码理解。本实验基于 OpenCV 工具集成的 DNN 深度神经网络模块，在 Caffe 框架下，利用已经训练好的 GoogleNet 模型，实现图像分类的演示效果。GoogleNet 模型是针对 100 万张图像训练出的分类模型，可以实现 1000 个目标类别的分类。程序流程可以概括为：选择数据集—选择预训练模型权重—输入测试图像—目标分类。

① 工具包导入：文件处理、科学计算、OpenCV。

```
import os
import numpy as np
import cv2
```

② 标签文件处理，初始化类标签。

```
row = open("synset_words.txt").read().strip().split("\n")
class_label = [r[r.find(" "):].split(",")[0] for r in row]
```

③ 加载 Caffe 所需的配置文件。

```
net = cv2.dnn.readNetFromCaffe("bvlc_googlenet.prototxt", "bvlc_googlenet.caffemodel")
```

④ 获取图像路径。

```
imagePaths = sorted(list(list_images("./images")))
```

⑤ 单幅图像识别：读取图片、检测物体、识别物体、标注。

```
img = cv2.imread(imagePaths[0])
blob = cv2.dnn.blobFromImage(img, 1, (224, 224), (104, 117, 123))
net.setInput(blob)
preds = net.forward()
idx = np.argsort(preds[0])[-1]
text = "label: {}-{:.2f}%".format(class_label[idx], preds[0][idx]*100)
cv2.putText(img, text, (5, 25), cv2.FONT_HERSHEY_SIMPLEX, 0.7, (0, 0, 255))
```

实验结果如图 5-33 所示，即在输入图片左上角标注分类结果及相似度。

图 5-33　实验结果

图 5-33 实验结果（续）

5.5.2 基于深度学习的个性化推荐

基于深度学习，工程师们在图像、语音、自然语音处理等领域都取得了令人振奋的进展，而深度学习本身也在不断探索和发展，其潜力的极限目前还没有被看到。当然，深度学习也不是万能的。还有一些问题，没有足够数量的数据，很难通过深度学习算法来得到可用的模型。此外，有些问题对计算资源和时间的要求比较严苛，在深度学习小型化没有取得突破性进展的时候，也不是首选方法。

推荐系统在日常的网络应用中无处不在，有人的地方就有推荐。可以根据个人的喜好，将相同喜好人群的习惯等信息进行个性化的内容推荐，例如，打开美食推荐类的App，应用会基于用户以往的喜好搜索记录推荐更有针对性的选择，所以每个人看到的美食推荐都是不一样的。

推荐系统是很有用的。在信息爆炸的今天，我们可以通过报纸、网络等多种途径获取信息。有了获取信息的途径，如何能够在海量的信息中找到感兴趣的信息才是当今人们最关注的问题。推荐系统的产生就很好地解决了这个问题。

目前，深度学习在个性化推荐、计算广告领域中的应用也有着不错的表现，虽然其优势并不如图像与文本那么显著，但是推荐系统是深度学习的最重要的应用场景之一，这得益于深度学习的一些固有优势。

（1）现在的推荐系统都要面对海量的数据，要提取上万乃至上亿维的特征，而深度学习本身就是一个很好的表示学习的框架，从海量的数据中学习到人类无法提取的特征组合，是其擅长的事情。

（2）机器学习的上限取决于数据和特征，有效的模型和算法只是能够无限地逼近这个上限。现在我们使用的推荐系统主要依靠特征工程的效果，而不断地深入理解问题和获取额外的数据源仍在一直影响着特征工程的建立。人类根据数据只能抽象出非常有限的特征总类，新数据源和新特征的获得将变得越来越难。对人工特征工程的研究越深入，投入的人力和时间相应地越长，而得到的新特征对系统的提升也就越少。使用深度学习来做特征表达被看作是一个更好的选择。

本演示实验将会在 Anaconda+Python3 平台下，利用 OpenCV 工具库，结合其自带的 TensorFlow 框架和卷积神经网络，基于 MovieLens 数据集完成电影推荐的任务。

（1）TensorFlow

TensorFlow 是一个符号数学系统，它是以数据流编程为基础的系统，可以实现各类机器学习算法的编程，谷歌的神经网络算法库 DistBelief 就是它的基础。TensorFlow 拥有可部署于各类服务器、PC 终端和网页的多层级结构，可以支持 GPU 和 TPU 高性能数值计算，在谷歌内部的产品开发和各领域的科学研究中有十分广泛的应用。自 2015 年 11 月 9 日起，TensorFlow 依据阿帕奇授权协议（Apache 2.0 open source license）开放源代码。

TensorFlow 提供 Python 语言下的四个不同版本，安装 Python 版 TensorFlow 可以使

用模块管理工具 pip、pip3 或 Anaconda，并在终端直接运行。

（2）卷积神经网络。目前较为流行的图像分类架构就是卷积神经网络（CNN）——将图像送入网络，然后对图像数据进行分类。CNN 工作原理图如图 5-34 所示。

卷积神经网络从输入图像开始，利用滑动窗口的方法，采用类似“扫描仪”的形式对输入图像进行扫描分析。

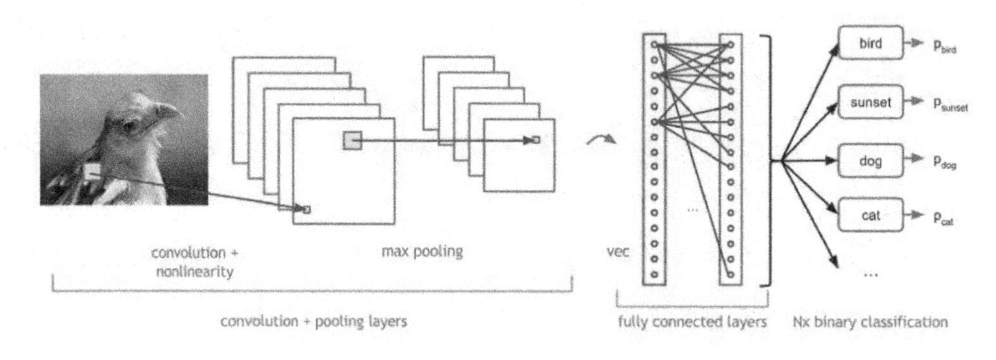

图 5-34 CNN 工作原理图

输入图像的数据被送入 CNN 的卷积层，每个节点只需要处理离自己最近的邻近节点，卷积层也随着扫描的深入而趋于收缩。除卷积层外，通常还有池化层。池化是过滤细节的一种方法，常见的池化技术是最大池化，即采用大小为 2×2 的矩阵，传递拥有最多特定属性的像素。

现在，大部分图像分类技术都是由来自牛津、INRIA 和 XRCE 等顶级的计算机视觉团队在 ImageNet 数据集上实现的。ImageNet 数据集中包含了约 120 万张高分辨率的训练图像；测试图像没有初始注释（没有标签），算法必须产生标签来指定图像中存在哪些目标对象。

（3）MovieLens 数据集

MovieLens 数据集是一个关于电影评分的数据集，里面包含了从 TMDB（The Movie DataBase）上面得到的 6 000 个用户对近 4 000 部电影的 1 亿条评分信息，如用户对电影的评级数据、电影元数据和用户属性信息。这个数据集经常被用来做推荐系统、机器学习算法的测试数据集，尤其在推荐系统领域，很多著名论文都是基于这个数据集的。

数据集可在 http://files.grouplens.org/datasets/movielens/ml-1m.zip 下载，数据集解压后，可以看到三个主要的文件，分别是用户数据 users.dat、电影数据 movies.dat 和评分数据 ratings.dat。

用户数据：包含用户 ID、性别、年龄、职业 ID 和邮编字段。

电影数据：包含电影 ID、电影名和电影风格字段。

评分数据：包含用户 ID、电影 ID、评分和时间戳字段，评分字段是需要学习的目标。

（4）代码理解。具体代码可见随书资料。代码流程如下。

① 预处理已经下载好的数据集，包括数据集数据读取和格式变换。

② 设计和构建卷积神经网络模型。

③ 训练卷积神经网络模型，生成模型及特征矩阵，并保存到本地。

④ 利用测试数据，根据输入的用户特征，结合训练得到的类似人群的电影喜好，进行电影的推荐。

5.5.3 基于卷积神经网络的文本分类

自然语言处理技术已经不断渗透并应用于互联网垂直领域，在诸如文本分类、实体识别、问答系统、翻译系统中扮演着重要角色。深度学习处理自然语言任务可以避免传统算法对特征的重度依赖性，准确度也高。作为深度学习领域两大阵营的 CNN 和 RNN 各具特色，一般来说，CNN 适用于空间任务（如图像），RNN 适用于时序任务（如语音）。自然语言处理任务一般以文本的形式出现，所以使用 RNN 较为自然。但有学者做了对比试验，发现 CNN 在文本分类上的表现比 RNN 更为出色，又因为 RNN 模型的训练时间普遍较长，所以，使用 CNN 做文本分类是更明智的选择。

基于 CNN 的文本分类可以参考图 5-35 所示的流程实现，概括起来一般可以分为数据处理、卷积、池化、全连接和分类 4 个步骤。

1. 数据处理

（1）分词。例如，“因为今天天气很好，所以公园人很多”，对句子进行分词后我们可以得到“因为、今天、天气、很好、所以、公园、人、很多”。

（2）Word Embedding。分词之后，建立词汇表，每一个词可用索引数字化为 one-hot 向量，但这样一来，词汇变量维度与词汇量相等，显然纬度太高且太稀疏了。Word Embedding 可以将词汇向量化为较小的固定的维度，起到降维作用。目前最常用的就是 Word2Vec 方法，这一步可以单独训练，也可以在分类训练过程中不断优化。

2. 卷积

经过 Embedding 的一个句子实际上形成了一个矩阵，例如，“因为、今天、天气、很好”可转化为 $4 \times n$ 的矩阵，n 为 Embedding 大小。与图像处理的二维卷积不同，文本处理使用一维卷积，因为矩阵的每一行代表一个分词，截断分词没有数学意义，故卷积核的长度恒等于 n。

3. 池化

采用最大池化，选取卷积运算后的最强特征。池化可以自适应输入宽度，从而将不同长度的输入转化为统一长度的输出。

4. 全连接、分类

经池化后的数据按深度方向拼接成一个向量后提供给全连接层，经 softmax 激活后输出最终结果。图 5-35 为 CNN 处理文本的算法流程图。

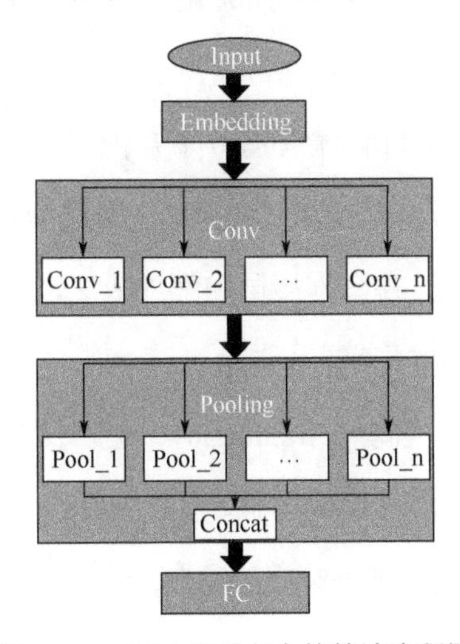

图 5-35 CNN 处理文本的算法流程图

5. 代码解释

本次实验使用的是 AG’s news corpus 数据集，这是一个由 2 000 个数据源和 496 835 种类型的新闻组成的数据集，实验选取的是其中数量最多的 4 种类型的新闻数据。对于 CNN 神经网络，设定其输入为 title 和 description，输出是新闻所属的类别。新闻类型、总数量、用于训练集和测试集的样本数量等实验数据集信息如图 5-36 所示。

新闻类型	新闻总数	训练样本数量	测试样本数量
世界新闻			
体育新闻			
商务新闻			
科技新闻			

图 5-36 实验数据集信息

数据预处理代码为 data_helper.py，该部分定义了一个 Dataset 的类。在该类中，首先得到数据的批次，然后计算出文章的行数和字母，同时引入 embedding 矩阵和字典；最后将每个句子中的每个字母，转化为 embedding 矩阵中的索引。如果在 embedding_dic 中存在该词，那么就将该词的索引加入到 doc 的向量表示 doc_vec 中，不存在则用 UNK 代替。

模型构建的代码为 charCNN.py。模型有 6 个卷积层和 3 个全连接层，一共 9 层设计。其中，卷积核池化的方式均采用“VALID”，不对边缘进行补零操作。为了防止出现过拟合现象，即实验结果过于优化，在全连接层中间加入 2 个 dropout 层，概率为 0.5。对于神经网络的权重，初始化采用的是高斯分布。

神经网络的训练和测试，代码为 training.py，运行该部分代码，即可看到训练迭代过程，以及训练集的准确率和测试集的准确率。

实验结果：训练集分类能达到 96%的正确率，测试集分类能达到 87%的正确率。

5.5.4 基于深度学习的视频行为识别

互联网上的多媒体正在迅速增长，每分钟都有越来越多的视频被分享。为了对抗信息爆炸，必须了解和分析这些视频。计算机视觉领域几十年来一直致力于视频分析，并解决了诸如动作识别、异常事件检测、活动理解等不同问题。通过使用不同的具体解决方案，在这些个体问题上已经取得了相当大的进展。然而，需要一种通用视频描述符，这有助于以同样的方式解决大规模视频任务。

一个有效的视频描述符有 4 个属性。

通用性：可以表示不同类型的视频，同时具有可区分性。

紧凑性：由于需要处理数百万的视频，一个紧凑的描述符有助于处理、存储和检索任务，更具可扩展性。

计算高效性：因为在现实世界中，每一分钟都需要处理成千上万的视频。

实现简单：不使用复杂的特征编码方法和分类器，一个好的描述符即使是一个简单的模型（如线性分类器），也能很好地工作。

本演示实验将会在 Anaconda+Python3 平台下，利用 OpenCV 工具库，结合其自带的 PyTorch 框架和用于视频识别的 C3D 卷积神经网络模型，基于 UCF101 数据集完成对视频行为识别的任务。

1. PyTorch

Torch 框架是一个有大量机器学习算法支持的科学计算框架。Torch 是由于 Facebook 开源了大量 Torch 的深度学习模块和扩展才得以真正兴起的。Torch 的特点在于特别灵活，其另一个特殊之处是采用了编程语言 Lua。由于深度学习大部分在以 Python 为编程语言的大环境之下，因此，一个以 Lua 为编程语言的框架有更多的劣势，这一小众的语言增加了学习使用 Torch 这个框架的成本。

PyTorch 的前身便是 Torch，其底层和 Torch 框架一样，但是因为它使用 Python 重新写了很多内容，不仅更加灵活，支持动态图，而且提供了 Python 接口。它是由 Torch7 团队开发的以 Python 优先的深度学习框架，既实现了强大的 GPU 加速，又支持包括 TensorFlow 在内很多主流深度学习框架所无法支持的动态神经网络。

PyTorch 既可以看作加入了 GPU 支持的 numpy，也可以看成一个拥有自动求导功能的强大的深度神经网络。PyTorch 已经被 Facebook、Twitter、CMU 和 Salesforce 等机构所采用。

2. C3D 模型

受到深度学习在图像领域突破的启发，在过去几年里，在特征学习方面取得了快速的进步，各种预训练卷积网络（ConvNets）模型可用于提取图像特征。这些特征是网络最后几个全连接层的激活值，在迁移学习任务中表现良好。但是由于缺少运动建模，这些基于图像的深度特征并不直接适用于视频。

深度 3D ConvNet 模型可以用来学习时空特征。经验表明，模型学习的特征与简单的线性分类器在各种视频分析任务中效果良好，在大规模有监督训练集和现代深度学习框架的背景下利用 3D ConvNet，在不同的视频分析任务中可以得到很好的性能。3D ConvNet 提取的特征封装了视频中与目标、场景、动作有关的信息，使得这些特征对不同的任务都很有用，而不需要对每个任务都微调模型。C3D 是很好的描述符：通用、紧凑、简单、高效。

其他适用于视频内容特征提取的模型还有 R3D、R2Plus1D 等，感兴趣的读者可以自行查看其实现原理。

3. UCF101 数据集

UCF101 数据集是经常使用的视频序列行为数据库，通常用来进行视频序列中的行为识别。数据集包含来源于 YouTube 的 13 320 个短视频，分辨率为 320×240 像素。视频中行为动作主要包括 5 大类 101 小类：人和物体交互、只有肢体动作、人与人交互、玩音乐器材、各类运动；每一类由 25 个人做动作，每个人做 4～7 组。

4. 代码解释

具体代码可见随书资料，项目流程如下。

（1）数据集处理：下载原始数据集、制作训练、测试样本数据集；处理后的数据集保存在 list 格式的文件中。其中，每一个行为作为一个训练样本，最后的数字表示样本的分类代码。

（2）训练模型：运行 train_c3d_ucf101.py 文件，训练模型。训练结束后，模型保存在 models 文件夹下。此步时间较长，可以利用 C3D-tensorflow 文件夹中的预训练模型进行第（3）步的测试。

（3）测试模型：运行 predict_c3d_ucf101.py 文件对训练的模型进行测试。测试结束后，结果保存在当前目录下的 predict_ret.txt 中。为了缩短测试时间，可将原来的 test.list 进行备份，新建 test.list 文件，从备份文件中截取部分样本进行测试。输出的 predict_ret.txt 中，针对每一个测试样本均输出 4 个结果：真实分类标签、分类评分（模型判断分类为真实分类的概率）、预测的分类标签、分类评分（模型判断分类为预测分类的概率）。C3D-tensorflow 文件夹中的预训练模型有三个，可以从中选择一个进行测试。

5.6 本章小结

在本章中，首先介绍了深度学习主要发展和演进过程；其次，对深度学习的几个重要概念进行了讲解，使读者对后续内容的理解更加清晰明了；再次，重点解释了几个比较经典的深度学习网络模型，以及正则化和模型优化的概念及作用，使大家对深度学习网络架构及学习过程有一个宏观的认识；最后，通过讲解深度学习应用的 4 个具体、贴合实际的应用示例，从感官上体验深度学习的模型选取、模型架构、模型学习、模型优化及测试效果，带领读者对深度学习有全面、主观的认知。读者可以通过选择不同的模型、调解模型参数、更换数据集，更好地掌握深度学习网络的构建及性能的调节。

习题 5

5-1 简述深度学习的几个重要发展阶段。

5-2 深度学习的典型网络架构是什么?

5-3 深度学习相较于传统机器学习的明显优势是什么?

5-4 简述 AlexNet 网络架构，如何理解每一层级的作用?

5-5 VGG 网络与 AlexNet 网络的不同有哪些?

5-6 Inception 结构的主要优势是什么?

5-7 什么是正则化，正则化的优势是什么?

5-8 深度学习在计算机视觉中的应用是如何体现的?

5-9 OpenCV 是什么，简述其应用优势。

5-10 对比 Caffe 框架、TensorFlow 框架和 PyTorch 框架。

5-11 简述利用深度学习实现电影推荐的过程。

5-12 将 5.5.4 中的实验数据集更换为 HMDB51，观察识别结果。

第六章

智能机器人

6.1 智能机器人概况

智能机器人是一项包含多项学科知识的技术，它伴随着人工智能而产生。越来越多的领域都需要智能机器人的参与，使这项技术逐步成为各个领域研究学者关注的焦点。随着众多科研人员的努力，智能机器人逐步走进千家万户，但就目前的研究现状来看，我国智能机器人技术在国际上还处在相对落后的位置。

1. 国内外智能机器人研究现状

人们希望有更多可以自行支配的时间，去做更多自己喜欢的事情，这就催生了新的应用技术——机器人技术。美国机器人协会将机器人定义为一种由编程操作执行某项专门任务，综合了机械、电子、遥控器、人工智能、仿生学等多种学科的复杂智能机械。随着应用领域的不断扩张，机器人成了科学界的热门话题。机器人可以分担人类的工作，对于一些高危的工作都可以使用机器人。机器人可以非常安全灵活地代替人类在某些严苛的环境中进行工作。

（1）国内智能机器人发展现状。近年来，中国在机器人研究方面的确取得了不小的进步，国内工业机器人装机总量也在急速飙升，机器人的市场需求已经实现了爆炸性的增长，但高速的发展也带来了一系列的问题。中国机器人的发展阶段可以分为三个主要阶段。

第一阶段，20 世纪 80 年代末，随着我国对机器人事业的不断重视和支持，陆续出台了促进机器人发展的规划及政策文件，我国的机器人开始慢慢向实践的方向发展。在这个时期，切割、焊接、喷漆、运输、包装等产品都具有一定的产权归属。

第二阶段，从 2010 年以后，随着中国机器人装机容量的不断扩大，机器人发展转向了产业链方向，国内很多公司开始采取多种商务形式涉足机器人行业，通过并购和引进技术等方式，开始对机器人业务的研发和投入。全球机器人巨头公司瑞士 ABB、德国库卡、日本发那科、日本安川等同样看到了中国机器人市场的广阔前景，不断地在我国设立分支机构，将机器人的应用扩展到生产、销售、制造等各个领域。

第三阶段，2013 年 4 月 21 日，由我国机械工业联合会创建的中国机器人产业联盟将国内机器人科技和产业单位进行资源整合，搭建了专业的机器人产业服务平台，使机器人产业迈向了健康、有序、高效、智能的发展方向。从此之后，我国机器人行业的发展转向快车道，虽然相较于发达国家在发展速度、核心技术、市场份额等方面还处于相对弱势的情况，但通过不断的学习和进步，我国将会尽快形成研制、生产、制造、销售、服务等有序的产业链。

（2）国外发展现状。以日本、美国、英国为首的国家很早就开始对智能机器人进行研究，经过很长一段时间的发展已经较为成熟。不同的国家的生产力需求不同，制造出来的机器人所具有的功能也不同，机器人的功能也在不断地丰富。现在各行各业都有机器人的身影，全球经济跟随机器人产业的蓬勃发展发生了巨大的变化。二战结束后，美国机器人技术得到大力发展，机器人对于制造业技术的提升、经济的快速发展都起到了重要的作用；在欧洲，欧盟启动的“SPARC”研发计划，投资金额高达 28 亿欧元，同时还创造了 24 万个就业岗位，使得机器人的研究和应用逐步影响到人类社会生存、生活和经济发展的各个领域；日本正在将机器人作为未来经济发展的重要工具，以促进社会经济更大范围的提升；韩国采用出口的方式，将生产的机器人销往海外市场并逐渐提高销售量，进而促进了机器人产业的不断壮大。

2. 智能机器人发展趋势

（1）关键部件和核心技术。目前，应用于智能机器人中的智能传感设备，其功能及各项性能指标相较于传统传感器，已经取得了非常明显的进步和提高。另外，信息融合量的增加得益于集成技术的发展，因此，需要更多的专业人员专注于对关键部件开发和集成技术的研究，精细化部件的检测内容和指标，促进机器人行业核心技术的标准化和网络化发展，纵向深入地研究与归纳仿真功能、方向感知、心情管理、生物神经系统相关的理论与方法。

（2）机器人网络化。智能机器人的开发研究取得了举世瞩目的成果，其发展逐渐呈现网络化的特点。在技术层面，智能机器人是人工智能和云计算方面的进一步突破。人工智能技术可以看作机器人的"大脑"，可以实现在非结构环境下进行识别、思考和决策；而云计算技术则是机器人的"平台"，对机器人进行联网，实现与移动互联网端海量数据的连接，完成信息的搜索和提取，并通过网络对计算机进行有效控制。在一些相对较为复杂的环境条件下，一个机器人难以完成全部项目，因此如何远程控制机器人，也是未来机器人技术研究的重难点之一。

（3）更好的交互方式。市场中现有的机器人依旧需要依赖于相关的知识去实现相关理论与方法，因此需要把机器人需要完成的任务加载进去。我们需要研究设计自然语言、文字语言、图像语言、手写字识别等方式，将人类与机器人的交互变得简单化、多样化、人性化、智能化，保证人与机器之间信息交流的协调性。

3. 智能机器人的应用

（1）工业机器人。工业机器人的操作有一定的约束条件，它可以接受人类的指挥，也可以按照预先编排的程序进行工作，这种机器人无法依据外界环境的变化对所做的工作进行调整。由于工业机器人这种只能严格遵循程序设置的流程进行工作的特点，所以工业机器人是一类不具备智能的机器人。

（2）初级智能机器人。初级智能机器人具备了一些简单的类似于人类的感知、识别、推理和判断能力，对工业机器人的缺陷做了一定的修改。它对外界条件的变化有着有限的调整能力，也就是说，人类已经为机器人准备了几种备选方案，而机器人要做的就是根据情况进行选择。所以，初级智能机器人的思考能力仅仅停留在选择上，并不具备真正的思考能力，智能程度相对较低。初级智能机器人也在随着科技的发展慢慢走向成熟，走进人们的生活。

（3）智能农业机器人。鲨鱼型智能农业机器人是一款典型的智能机器人在农业领域的应用实例。机器人的机械设计和流线型外形是基于空气动力学原理，根据气动布局特点进行的设计，可以最大化利用设备空间。为保证机器人在各种复杂地形中的灵活通行，特采用工业级高分子材料制作的履带式底盘和特殊的离去角角度设计，保护农田不受破坏。为保证机器人良好的作业能力，结合了双发动机的布局，采用电传操纵技术及液压系统，大大提高了机器人的续航时间；基于无线遥控和图像传输技术，机器人可以将自身的运行数据和被检测的作物的图像实时传输回监控终端；监控终端可以实现机器人的路径规划，在实际中不断地发现新的应用需求和改进建议，快速实现产品的功能扩展和革新；机器人设计的智能喷雾系统可以定向捕捉果树的树冠，实现精准智能的喷雾功能触发和控制。

采摘机器人通常由机械结构和电气智能控制两部分组成。机械结构包括可移动载体、机械手臂、夹持器和横向滑动装置；电气智能控制系统主要包括工控计算机、伺服电机、双 CCD 摄像机、传感器控制模块、数据采集卡、GPIB 卡、运动控制卡、锂电池供电箱等。这些采摘机器人装置轻便、采摘角度大、好时段、力度适中，不会给果实造成机械损伤。另外，嫁接机器人技术近年来在国际上崭露头角，这是一种集机械、自动控制与园艺技术于一体的高新技术。嫁接机器人技术的成功介入使嫁接速度大幅度提高，还可以提高嫁接成活率，在农业生产中节省了巨大的人力、物力成本。人工智能正在全面进驻农业领域，农业机器人凭借智慧农业的发展，代替人类完成农作物播种、施肥、灌溉、采摘、运输等人工劳动，进一步节约人力成本，提高农业生产率。

（4）家庭智能陪护机器人。随着世界人口老龄化问题的日益严重，许多国家和地区纷纷将智能陪护机器人的研究作为国家重点规划项目。围绕助老助残、家庭服务、医疗康复等领域，培育智慧生活、现代服务等方面的要求重点发展智能陪护机器人。2016 年 6 月 15 日在北京举办的国际服务机器人核心技术及应用大会上，全球首款家庭智能陪护机器人“大智”首次亮相，它可以通过图片认识家人，通过声音判断你是谁。在家中，“大智”如果发现老人的身体状况发生异常，会主动发出提醒信息，引起儿女们的及时关注。现在的中青年人，上有老下有小，自己忙于工作奔波在工作的路上，有时很难兼顾老人和孩子，这时，“大智”一方面可以陪伴老人，与老人聊天，为老人们的心理健康保驾护航；另一方面，可以作为家庭看护，在家中自动巡逻，对于异常情况主动报警。当今世界上很多国家都在面临人口老龄化的问题，陪护机器人的出现可以很好地解决这个社会问题。

（5）高级智能机器人。人工智能的下一个形态就是高级智能机器人。这类机器人具备了较强的感知、识别能力以及简单的自适应能力，能够根据人类发出的指令，充分地识别工作对象和工作环境，结合自身状态自动确定与之相适应的动作。高级机器人的高级之处还体现在，机器人修改程序的原则不是由人规定的，而是由机器人自己通过学习，进行复杂的逻辑思维、判断和决策得出的，它能在特殊的环境中独立行动，所以它具有更高的智能性。这种机器人对环境的感觉能力更强，具有类似于人类的各种传感系统，如听觉、视觉、触觉、嗅觉等，能够通过传感器对周围的事物和环境建立起三维立体的识别。高级智能机器人不需要人的照料，建立在仿生学、控制学、计算机科学等学科相互渗透和发展的基础上，可以实现完全独立工作。随着科学技术的不断进步，通过人类的不懈努力，在不久的将来新一代智能机器人将慢慢走进人类的日常生活。

6.2 智能机器人运动与感知

6.2.1 智能机器人体系结构

虽然机器人智能的核心是以推理、规划为代表的智能方法和算法，但是其智能体系结构、传感器技术应用，以及基于多种传感器的智能行为等同样是智能的重要组成部分。目前，人工智能技术还远未达到完全替代人脑思维的水平，所以对智能机器人的设计仍然需要本着“人机共存”原则，充分发挥人类和机器人智能各自的优势，重视人类在系统中的作用。典型的智能机器人体系结构如图 6-1 所示。

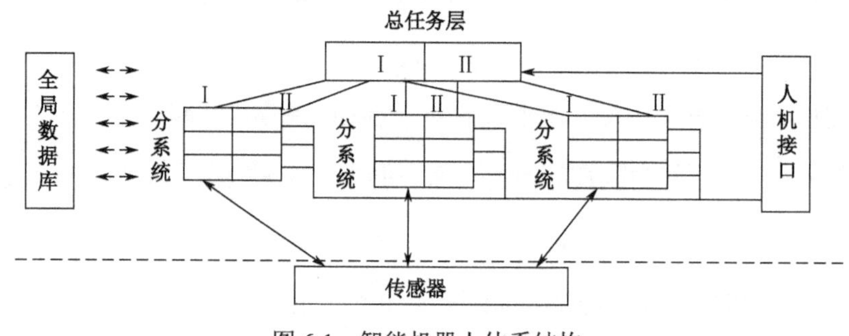

图 6-1　智能机器人体系结构

从图 6-1 中可以看到，在典型的智能机器人体系结构中，由总任务层负责协调各分系统的工作，各分系统分别是规划系统、运动学计算系统和伺服控制器系统，每个分系统又包含两个子功能模块，即信息集成功能和任务分解功能。系统各部分的协调工作包括：

（1）下达给系统的任务通过任务分解功能进行逐步分解，细化为不同的子任务，同时配置各个子任务的协调关系。

（2）根据分解的任务要求，信息集成功能对各种传感器信息进行采集、处理、整合，分析和存储与环境和自身相关的各项数据内容，供任务分解功能使用，针对突发的意外事件，该功能模块将会将事件识别结果发送给任务分解功能同层模块，方便后续的业务实现。

（3）系统中所有的系统层级、功能模块共享同一个全局数据库，数据库中存放和管理与外部环境和系统状态相关的所有共用全局数据。

（4）操作人员可以利用人机交互接口模块，采取多种形式参与系统的各个功能环节。

（5）为适应和扩展多种传感器设备，降低数据处理的复杂性，特将传感器及数据处理模块独立于体系结构之外。

总而言之，智能机器人体系结构的设计，实现的是对机器人软件、硬件的宏观整体协调，采用模块化的设计理念组织系统架构，使得系统结构不会因为要求的改变而做过多的变化和调整，降低系统的复杂程度，是一个可以快速扩展新技术的开放系统。

6.2.2 机器人视觉系统

随着工业 4.0、实施中国制造强国战略时代的来临，机器视觉将使得机器人智能化变成现实，在工业自动化中机器视觉技术已经占有十分重要的地位，而机器视觉技术的不断创新，也推动了工业自动化、智慧安防及人工智能等行业的进步，也为各个行业领域的应用带来了更多发展潜力与机会。

1. 机器人视觉系统的发展

机器人视觉系统的发展可以分为三个阶段。

第一阶段，由普通数字电路搭建，实现按规定流程对图像的处理和结果输出的系统，主要应用于平板材料的缺陷检测。

第二阶段，由计算机、图像输入设备和结果输出硬件构成，实现视觉信息在机器内以串行方式进行流动，同时具备一定的学习能力以适应稍微复杂一些的视觉环境。

第三阶段，这一阶段的机器人视觉系统采用高速图像处理芯片并行算法，具有高度的智能和普通的适应性，能模拟人的高度视觉功能，是目前国际上正在开发和使用的系统。

2. 机器人仿人眼视觉系统

人类的感知系统，有 83%以上是通过人眼来完成的，而人类的眼睛又是所有动物里面综合性能最高的，捕获的图像包含的信息量是最巨大的，不仅要用到单个的立体视觉成像，还要用到整体视觉能力，所以人眼的立体视觉能力和颜色辨别能力远超过动物的眼睛。其中，对个体的感知是人眼最基本的功能——对自身和对象位移的测量、尺寸的测量。其中最重要的功能是对自身和对象位移的测量，例如，走了多少、转了多少，这是一种对空间环境的感知和判断。机器人想要模仿人类的眼睛，主要包含三大部分的设计。

（1）机器人眼球构造。机器人眼球集成了很多芯片和传感器，如摄像头、扫描仪等，红外发射管发出的红外线遇到物体会发生反射，红外接收管在接收到被反射回来的红外线后，给机器人的“大脑”发出电信号，机器人就能“看见”东西了。

（2）运动控制系统。机器人控制系统作为工业机器人最为核心的零部件之一，对机器人的性能起着决定性的影响，其运动控制就相当于自动化的一个分支，它使用通称为伺服机构的一些设备如液压泵、线性执行机或者电机来控制机器的位置或速度，目前被广泛应用在包装、印刷、纺织和装配工业中。

（3）图像处理。图像本身只有经过图像处理之后，才能找到图像中需要的特征，从而更进一步地执行其他的指令动作。在工业上，主要应用于工业机器人，完成自动生产、装配、检测等工作；在农业上，则应用于一些自动收割机，如棉花收割、自动分类机器等。

6.3 智能机器人路径规划

智能机器人的路径规划就是为处在有障碍物的工作环境中的机器人寻找一条从已知起点到给定终点的合适的运动路线，使机器人在完成任务的同时，规避所有障碍物，安全、顺利地到达目的地。路径规划往往具有以下三个特点：情况的复杂性、变化的随机性和运动的约束性。移动机器人技术中最重要的一点是如何为机器人进行导航，下面我们将具体介绍机器人导航技术。

6.3.1 机器人导航

目前机器人常用的定位导航方式有激光定位导航、视觉定位导航、红外线定位导航、超声波定位导航、GPS 全球定位导航等。

1. 激光定位导航

激光雷达+SLAM 技术相结合的激光定位导航主要是利用了激光的准直性和不发散性，首先向目标物发射激光信号，再根据从物体反射回来的信号时间差来计算两物体之间的距离，可以在对环境情况未知的前提下进行自身定位，同时增量式地构建周围环境的地图。虽然激光导航控制过程复杂，激光技术投资成本高，但它定位准确，即使是在黑暗的环境中也可以灵活规划路径，所以目前激光定位导航技术已成为机器人主流的定位导航方案。

2. 视觉定位导航

视觉定位导航技术包含了摄像机（CCD 图像传感器）、视频信号数字化设备、基于

DSP 的快速信号处理器、计算机及其外设等。机器人首先利用摄像头采集实时图像信息并进行压缩，然后将该压缩信息传入学习模型中，学习模型由神经网络和统计学方法构成，可以将采集到的图像信息和机器人的实际位置关联起来，实现对机器人的自主导航定位。但该技术图像处理量巨大，一般计算机无法完成运算，实时性比较差，且容易受光线条件限制，无法在黑暗环境中进行工作。

3. 红外线定位导航

红外线定位导航技术的实现是利用红外线 IR 标识发射调制的红外射线，然后通过安装在室内的光学传感器进行红外射线的接收。使用红外线导航定位技术的机器人需要在特定位置安装一个光学传感器，这个传感器能够接收服务机器人发射出的红外射线，采用这种定位技术的机器人能够测量的距离比较远，在发射率比较低的情况下也能进行距离测量，而且响应时间短行动速度较快。但是，这种定位导航技术受环境的干扰较大，对于近似黑体、透明的物体无法检测距离，而且当出现了其他遮挡物时将无法正常工作，通常为了提高这一技术的导航精度和应用效果，需要对每个房间、走廊安装接收天线、铺设导轨，工程成本较高。

4. 超声波定位导航

超声波定位导航技术的实现是由超声波传感器发射探头发射出超声波，超声波在介质中遇到障碍物而返回接收装置。通过接收自身发射的超声波反射信号，根据超声波发出及回波接收时间差及传播速度，计算出障碍物到机器人的距离 S：

$$S = Tv / 2 \tag{6.1}$$

式中，T 表示超声波发射和接收的时间差；v 表示超声波在介质中传播的波速。超声波定位导航技术成本低廉并可以识别红外传感器识别不了的物体。但是这种定位导航技术容易受天气、周围环境以及障碍物阴影、表面粗糙等外界环境的影响，适用范围较小、导航精度差。

5. GPS 全球定位导航

GPS 是由导航卫星组成的无线电导航系统，由卫星、地面站、接收机三部分组成。在地面上，只需要用一部 GPS 接收机测出 3～4 颗卫星信号到达本接收机的时间，就可精确地推算出接收机所在的位置。在 GPS 观测量中包含了卫星和接收机的钟差、大气传播延迟、多路效应等误差，而利用差分动态定位方法可以消除星钟误差，因此在进行定位的过程中，抵消或削弱了大部分的公共误差，大幅提高定位精度。但是在移动导航应用中，受到卫星信号状况、道路环境、时钟误差、传播误差和接收机噪声等诸多因素的影响，为了提高移动 GPS 接收机的定位精度，机器人导航通常还辅以磁罗盘、光码盘和 GPS 的数据进行导航，可以有效地避免以往单纯利用 GPS 导航所产生的低定位精度、低可靠性的问题。除此之外，对于室内或者水下机器人的导航以及对位置精度要求较高的机器人系统的导航来说，GPS 导航系统都不是最好的选择。

除以上定位导航技术外，iBeacon 定位导航和灯塔定位导航等也是机器人比较常用的自主定位导航技术。

6.3.2 机器人定位

定位指的是机器人在二维工作环境中相对于全局坐标的位置及其本身的姿态，一般分为绝对定位和相对定位两种。

相对定位技术主要包括测距法和惯性导航法。其中，测距法经常采用光电编码器、里程计和航向陀螺仪为信号传感器，这类传感器短期精度高、采样速率高、成本低；惯性导航法一般采用可以测量回转速度的陀螺仪和可以测量加速度的加速计实现定位。相对定位技术的实现是基于测量值的累积，随着测量路径的增长，将会逐渐积累出不可忽略的测量误差，导致出现测量的时间漂移问题。因此，对于需要长距离和长时间的准确定位，通常会采用相对定位和绝对位置测量技术的结合，以获得更可靠的位置估计。

全球定位系统（GPS）、路标定位和地图匹配定位是目前比较成熟的绝对定位技术。GPS 主要用于解决机器人定位时容易出现的近距离定位精度低等问题，是以空间卫星为基础的高精度导航与定位系统。路标定位一般分为人工路标定位和自然路标定位两种，其中使用率较高的是人工路标定位，所谓人工路标定位就是在机器人的工作环境中，人为地设置一些坐标信息已知的路标，机器人在定位过程中可以通过探测这些路标信息获取自身的位置信息。地图匹配定位技术的关键技术是地图模型的建立和匹配算法，机器人利用自身的多种传感器来探测周围的环境，当采集到所需的局部信息后构造局部地图，并比较这个局部地图和预先存储的完整地图的匹配程度，如果两地图相互匹配，就能进一步计算出机器人在这个工作环境中的位置和方向。

6.3.3 机器人避障

移动机器人是机器人的重要研究领域，它需要自主解决感知、运动规划和控制问题。避障是指移动机器人在行进的过程中，通过传感器感知到周围环境中存在的静态或动态的障碍物，按照一定的算法重新规划下一步的行动，绕过障碍物，最终达到目的地。无论是规划路径还是规避障碍，感知周围环境都是第一步。以避障为例，移动机器人的视觉传感器、激光传感器、红外传感器、超声波传感器等都可以实时获得自身周围障碍物的尺寸、形状和位置等信息。

目前移动机器人的避障根据环境信息的掌握程度可以分为障碍物信息已知（global knowledge of the environment）、障碍物信息部分未知或完全未知（local knowledge of the environment）两种。在实际应用中，机器人所处的环境大部分都是动态、可变、未知的。

Bug 算法是一种最简单的机器人避障方法，算法的实现原理是首先控制机器人朝着目标方向前进，如果前进过程中遇到了障碍物则环绕障碍物移动直至离开，然后继续向目标方向前进。由此可以发现，为了完成避障功能需要机器人能实现两种动作：沿直线行走和跟踪障碍物的边界。Bug 算法的实现只需要利用触觉传感器获取周围环境的局部信息而不必了解全局情况。

（1）Bug 1 算法。Bug1 算法假定机器人是平面上的一个点，通过接触传感器或者零距离传感器进行避障。假设该机器人是一个具有完美定位（无定位误差）的点，该点具有一个接触传感器，当该点机器人“碰触”障碍物边界时，该传感器可以检测到该障碍物边界。Bug1 算法表现出两种行为：到目标的运动和边界跟随。在运动到目标的过程中，机器人沿着一个方向向着目标位置 q_{goal} 移动，直到遇到目标或障碍物。如果机器人遇到障碍物，设置该点为机器人第一次遇到障碍物的点，也称为命中点 q_1^H，机器人绕过障碍物，直到回到 q_1^H；然后，机器人在障碍物周围确定离目标最近的点 q_1^L，并穿过这个点，这个点称为离开点；从 q_1^L 开始，机器人又一次直接向目标前进，即它将重新调用从动作到目标的行为。如果连接 q_1^L 和目标的直线与当前的障碍相交，那么就没有到达目标的路径。需要注意的是，这一交叉将在离开 q_1^L 后立即发生，避障流程如图 6-2 所示。

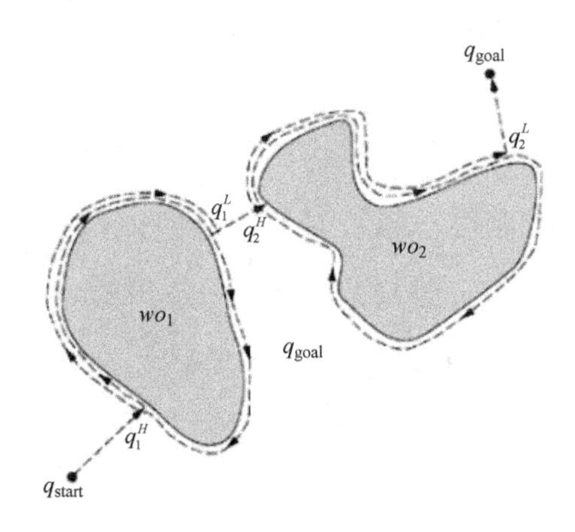

图 6-2 Bug1 避障流程

（2）Bug 2 算法。在运动到目标的过程中，机器人向目标移动，然而在 Bug2 算法中，连接 q_{start} 和 q_{goal} 的方向（*m* 线）保持固定。当机器人遇到障碍时，会调用边界遵循行为，但这种行为与 Bug1 不同。对于 Bug2，机器人会绕过障碍物，直到它到达 *m* 线上一个比最初接触障碍物的点更接近目标的新点为止。此时，机器人向目标前进，如果遇到障碍物，重复这个过程。如果机器人再次遇到从 *m* 线出发的初始点，则没有到达目标的路径，如图 6-3 所示。

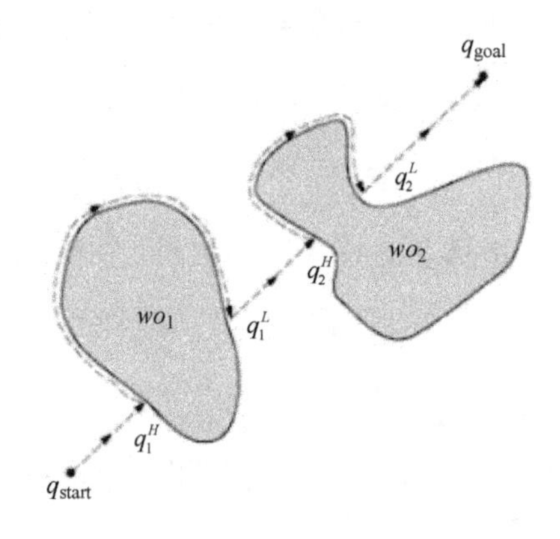

图 6-3　Bug2 算法流程

6.3.4　机器人路径规划

“移动”这一简单动作，对于人类来说相当容易，但对机器人而言就变得极为复杂。说到机器人移动就不得不提到路径规划，路径规划是移动机器人导航最基本的环节，指的是机器人在有障碍物的工作环境中，如何找到一条从起点到终点适当的运动路径，使机器人在运动过程中能安全、无碰撞地绕过所有障碍物。

移动智能机器人路径规划的主要方法有三种。

1. 基于事例的学习规划方法

这种学习规划方法是以过去的经验以及如何处理问题的过程为基础的，当机器人遇到新的情况时，可以通过修改事例库中相似的旧的事例来得到相应的处理办法。在移动机器人路径规划应用中，这种方法的实现可以概括为如下几个步骤：

（1）创建事例库，包含路径规划所用到的或已产生的信息。

（2）事例匹配，将计算所得事例和事例库中事例进行匹配比较，查找一个最优匹配项。

（3）结果输出，将所得事例进行参数调整和修正，输出最终结果。

2. 基于环境模型的规划方法

（1）全局路径规划。基于环境模型的规划方法，首先需要建立一个关于机器人运动环境的环境模型。全局路径规划的设计需要能够针对已知的环境模型，快速计算出最优路径。常见的规划算法包括可视图法、切线图法、Voronoi 图法、拓扑法、惩罚函数法、栅格法等。

可视图法将机器人、目标点和多边形障碍物的各顶点视为节点，把机器人、目标点和多边形障碍物的各顶点进行组合连接，连接的直线视为弧，要求机器人和障碍物各顶点之间、目标点和障碍物各顶点之间，以及各障碍物顶点与顶点之间的连线均不能穿越障碍物。可视图法虽然灵活性和时效性不佳，而且越长的障碍物需要越长的搜索时间，但是这种方法可以求得环境中的最短路径。

栅格法将机器人的工作环境分解成一系列具有二值信息的网格单元，单元大小的选择直接影响规划算法的性能，栅格的扩大可以获得更高的抗干扰能力，栅格的缩小使得储存的环境信息量更小，虽然可以提高算法的决策速度但是同时导致分辨率的下降，进而降低了在密集障碍物环境中发现路径的能力。另外，每个矩形栅格都有一个表示在此方位中存在障碍物可信度的累积值，累积值越高表示存在障碍物的可能性就越高。

全局路径规划可得到比较精确的解，但所耗费的计算量相当大，不适合实际应用。

（2）局部路径规划。因为移动机器人工作环境是不确定的，这就导致机器人建立全局环境模型是非常困难的。因此，只可以根据采集到的传感器信息实时地建立局部环境模型，所以移动机器人是否可以安全、连续和平稳运动主要取决于局部模型的实时性和可靠性。机器人因为缺乏可供参考的先验信息，所以针对未知的环境信息，规划的主要目的是如何提高机器人的避障能力。局部路径规划方法主要有人工势场法、模糊逻辑算法、遗传算法等。

人工势场法是将机器人在未知环境中的运动视为在人工虚拟力场中的运动，即认为目标对被规划的对象存在吸引力，而障碍物对其具有排斥力。势场法结构简单，便于低层的实时控制。

模糊逻辑算法是根据比较模糊的环境信息，靠经验来决策采取什么样的操作。这种算法适用于时变的未知环境下的路径规划，可以避免人工势场法带来的易产生局部极小的问题，并且由于较小的计算量，可以实现边规划边跟踪的效果，实时性较好。

遗传算法是一种基于自然选择和基因遗传学原理的搜索算法。该算法借鉴了物种进化的思想，将欲求解的问题进行编码，求得的每一个可能解均被表示成字符串的形式；初始化随机产生一个种群的侯选群，固定种群规模，选取合理的适应度函数对种群进行性能评估，并在此基础上进行繁殖、交叉和变异遗传操作。遗传算法是一种多点搜索算法，很好地避免了单点搜索算法易陷入局部最优的问题，可以更大概率地搜索到全局最优解。

3. 基于行为的规划方法

Brooks 在其著名的包容式结构中首先建立了基于行为的规划方法，该方法采用与动物进化相似的自下而上的原理体系，尝试智能体由简单向复杂的建立过程。应用于解决移动机器人路径规划的问题是这种算法的一种新的发展趋势，根据算法的核心架构，可以把导航问题分解为许多相对独立的行为单元。

基于行为的方法大体可以分为反射式行为、反应式行为和慎思行为 3 种类型。反射式行为是一种瞬间的应激性本能反应，可以对突发性情况作出迅速反应，但该方法不具备智能性，需要与其他方法结合使用。慎思行为利用已知的全局环境模型为智能体系统到达某个特定目标提供最优动作序列，更适用于复杂静态环境下的规划，但由于慎思规划的实现较为耗时，所以它对于环境中不可预知的改变反应较慢。

反应式行为和慎思行为在传感器数据、全局知识、反应速度、推理论证能力和计算的复杂性等方面存在一定的差异性，一般可以借此加以区分。近年来，在慎思行为的发展中出现了一种类似于人的大脑记忆的陈述性认知行为，为了基于此种行为实现路径的规划，在已有的传感器和先验信息基础上，还需要增加所要到达的目标信息，虽然此种实现路径规划的方法可以使移动机器人具备更高的智能水平，但是同时增加了决策算法的复杂性，一般只停留在实验仿真阶段，实际环境中难以应用。

6.4 演示实验

6.4.1 计算机视觉分析

1. 人脸识别

脸部是每个人都具备的，而且是区别于其他人的最重要的外貌特征。人脸检测是指采用一定的策略对任意一幅给定的图像进行搜索，以确定其中是否含有人脸，如果是则返回人脸的位置、大小和姿态。早期的人脸识别技术，往往对输入图像的要求较为严格，如需要输入的人脸图像不能具有背景信息，而且假设人脸位置处于相对固定的区域或者脸部特征较为明显，因此在实际应用中，这种识别技术识别效果并不理想，所以并未被广泛地采用和发展。随着电子商务等应用的迅速发展，人脸识别的优势愈发明显，已经被公认为最具潜力的生物身份验证手段，而且在这种应用需求下，需要降低对输入图像的约束条件，使得自动人脸识别系统能够对一般图像同样具备一定的识别能力。目前，人脸检测的应用已经跨越了传统的人脸识别系统的限制，在基于内容的检索、数字视频处理、视频检测等诸多领域这项技术同样发挥着重要的作用。

由于人脸特征是非常灵活且复杂的，如人脸相貌和表情相当复杂的细节变化，或者眼镜、头发和头部饰物等对面部特征的遮挡，以及外部条件的不断变化，例如由于成像角度的不同造成人脸的多姿态、图像中的亮度和阴影变化导致的光照影响、图像的成像条件或者不同的获取途径，都增加了人脸检测的难度。如何针对上述干扰因素找到更为有效的检测算法，并且满足实际应用中对于实时性的要求，将成为能否构造出具有实际应用价值的人脸检测与跟踪系统的关键。

人脸检测技术应用最为广泛的领域主要有三个：

（1）身份认证与安全防护。为了安全起见，锁和钥匙都是一一对应的，在许多安全级别要求较高的区域，都需要对大量的人员进行基于身份认证的门禁管理。在手机、笔记本电脑等个人电子用品开机时也经常要用到身份验证功能。

（2）媒体与娱乐。在网络虚拟世界里，通过人脸的变化，可以产生大量的娱乐节目和效果。手机、数码相机等消费电子产品中，基于人脸的娱乐项目也越来越丰富。各种美颜相机应用风靡全社会。QQ、MSN 等即时通信工具以及虚拟化网络游戏也是人脸合成技术的广阔市场。

（3）图像搜索。传统搜索引擎实现图像搜索的方法其实还是对文字的搜索，大部分以图片作为输入的搜索引擎，其原理是将图片进行近似拷贝检测，搜索网络中相似的图片。百度识图会根据用户提供的图片，判断其中是否存在人脸目标，如果发现了目标，就会对图片进行相似图片的搜索，同时在全网范围内进行类似人像的查找。

2. OpenCV 实现

（1）Haar-like 特征。Haar-like 特征最早是由 Papageorgiou 等人应用于对人脸的表示，Viola 和 Jones 在此基础上，进行了特征模板的设计，使用边缘特征、线性特征、中心特征和对角线特征形式组合成 Haar-like 特征模板。模板由白色和黑色两种矩形组成，该模板的特征值可以由白色矩形像素和减去黑色矩形像素和求得，因此可以利用 Haar 特征值来表示图像的灰度变化情况。由于特征模板中矩形的形状特点，使得最初的模板设计只对一些简单的图形结构较为敏感，因此只可以对一些特定走向的结构进行描述。

图 6-4 为 Haar 特征结构模板，对于图中的 A、B 和 D 这类特征，特征数值计算公式为

$$V = \text{Sum}(白) - \text{Sum}(黑) \tag{6.2}$$

而对于 C 来说，计算公式为

$$V = \text{Sum}(白) - 2 \times \text{Sum}(黑) \tag{6.3}$$

从公式中可以发现，为了保证两种矩形区域中参与运算的像素数目保持一致，所以将黑色区域像素和扩大了 2 倍。图 6-4 中的特征模板称为“特征原型”，通过对特征原型在图像子窗口中的扩展（平移伸缩）所得到的特征称为“矩形特征”，矩形特征的值称为“特征值”，可以通过改变特征模板的大小和位置，在图像子窗口中穷举出大量的特征。

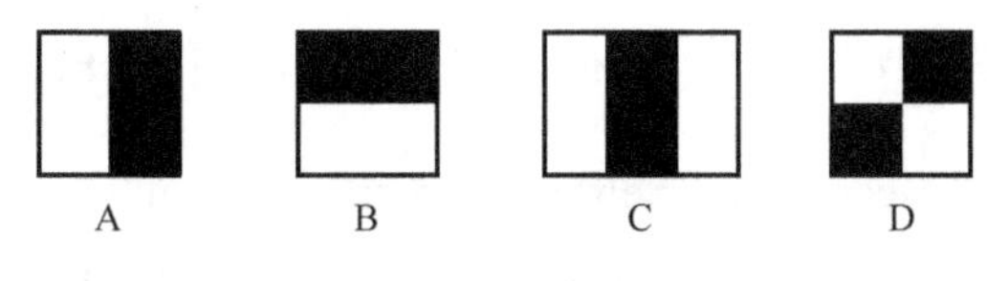

图 6-4 Haar 结构模板

（2）OpenCV API。人脸识别算法把人脸识别任务分解成数千个小任务，这些任务也

被称为分类器。对于类似于人脸的目标，每一个都需要成功匹配（在一定的容错率下），才能判定出人脸。

OpenCV Cascade 将人脸检测分为几个步骤，首先对于每个数据块进行粗略的快速检测，若判定为人脸目标，则进行下一步更细致的检测，进行迭代计算。对于被检测图像，算法一般可以在前几步就得到否定反馈，节省计算时间，实现实时人脸检测。

Cascade 的理论也许听起来很复杂，实际操作起来其实是很简单的。这些 Cascade 只是一系列包含 OpenCV 数据的 XML 文件，程序中可以用想要的 Cascade 来初始化代码，它会替你做你想要完成的事情。由于人脸识别的普遍性，OpenCV 有一系列能检测各种特定目标的内置 Cascade，从眼睛到手到腿都可以检测到。

其实，利用 OpenCV 来快速实现人脸检测功能，用到的函数是很少的，主要包括读取图片、色彩空间转换、显示图像、简单的编辑图像。下面介绍的是为了实现人脸检测，将会使用到的 API 接口。

1）画图。OpenCV 可以对图片进行任意编辑和处理。下面的这个函数实现的是在图像指定位置绘制矩形框，具体描述为在 image 图像上绘制矩形框，矩形框左上角坐标位置为(x,y)，矩形框宽为 w、高为 h，矩形框颜色为绿色(0,255,0)，最后一个参数指定的是矩形框线条粗细为 2 个像素点。

```
cv2.rectangle(sample_image, (x, y), (x+w, y+h), (0, 255, 0), 2)
```

2）获取人脸识别训练数据。首先提取人脸的一些特征，OpenCV 在读取完数据后，根据训练中的样本数据提取图片上的特征，进行人脸识别。API 具体实现如下所示：

```
face_detector= cv2.CascadeClassifier('haarcascade_eye.xml')
```

其中，xml 文件就是 OpenCV 在 GitHub 上共享出来的具有普遍适应性的训练好的数据。我们可以直接拿来使用。

训练数据参考地址如下：

https://github.com/opencv/opencv/tree/master/data/haarcascades

3）人脸检测。这一步实现的是根据训练的数据来对新图片进行检测的过程，API 实现如下所示：

faces = face_patterns.detectMultiScale(sample_image,scaleFactor=1.1,minNeighbors=5, minSize=(100, 100))

我们可以随意地指定里面参数的值，来达到不同精度下的检测结果，返回值就是 OpenCV 对图片的检测结果的体现，下面对该 API 的参数进行详细介绍。

参数 1：gray——待检测图片，一般为灰度图像，可以加快检测速度。

参数 2：faces——被检测物体的矩形框向量组。

参数 3：scaleFactor——表示在前后两次相继的扫描中，搜索窗口的比例系数。

参数 4：minNeighbors——表示构成检测目标的相邻矩形的最小个数（默认为 3 个）。

参数 5：flags——可以使用默认值或者 CV_HAAR_DO_CANNY_PRUNING。

参数 6、7：minSize 和 maxSize——用来限制得到的目标区域的范围。

通过前面的介绍，我们可以利用计算机视觉分析进行简单的实验，在 Anaconda +Python 的实验环境中使用 OpenCV 库，进行简单的人脸识别操作，框选出人脸眼睛部分。具体程序参考以下代码：

```
    import cv2
    # 选取眼睛模型
    face_patterns = cv2.CascadeClassifier('haarcascade_eye.xml')
    sample_image = cv2.imread('test.jpg')
    faces=
face_patterns.detectMultiScale(sample_image,scaleFactor=1.1,minNeighbors=5
,minSize=(100, 100))
```

```
for (x, y, w, h) in faces:
    cv2.rectangle(sample_image, (x, y), (x+w, y+h), (0, 255, 0), 2)
cv2.imwrite('result.jpg', sample_image)
```

实验结果如图 6-5 所示。

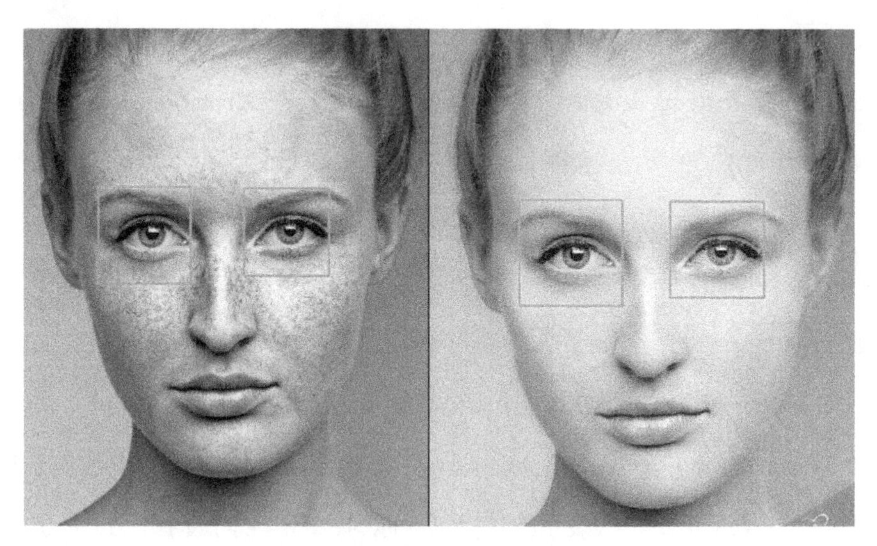

图 6-5　人脸眼睛部分检测结果

6.4.2　机器人路径规划

路径规划主要涉及 3 大问题：明确起点位置及终点、规避障碍物、尽可能地做到路径上的优化。

本演示实验将在 Anaconda+Python3 平台上，利用 A-Star 算法、Dijkstra 算法和 RRT 算法对机器人路径规划的实现进行展示。

1. A-Star 算法

在实际情况中，机器人路径规划除了考虑已知环境和未知环境地图，还要考虑到动态和静态环境下的路径规划。

A-Star 算法是一种静态路网中求解最短路径最有效的直接搜索方法，也是解决许多搜索问题的启发式算法。算法的搜索速度与估算的距离值和实际值差相关，差值越小搜索速度越快。A-Star 算法同样也可用于动态路径规划当中，只是当环境发生变化时，需要重新规划路线。算法公式为

$$f(n)=g(n)+h(n) \tag{6.4}$$

其中，$f(n)$表示从初始状态经由状态 n 到目标状态的代价估计，$g(n)$表示在状态空间中从初始状态到状态 n 的实际代价，$h(n)$表示从状态 n 到目标状态的最佳路径的估计代价。

$f(n)$或者 $h(n)$的选取将直接影响能否搜索到环境中的最短路径，如果规定以 $d(n)$表示状态 n 到目标状态的距离，那么 $h(n)$的选取可以考虑如下三种情况：

（1）$h(n)<d(n)$：搜索的点数多、范围大，搜索效率低，但可以求得最优解。

（2）$h(n)=d(n)$：即距离估计 $h(n)$等于最短距离，搜索将严格沿着最短路径进行，此时的搜索效率最高。

（3）$h(n)>d(n)$：搜索的点数少、范围小，搜索效率高，但不能保证得到最优解。

2. Dijkstra 算法

迪杰斯特拉（Dijkstra）算法是典型的最短路径算法之一，可以用于计算一个节点到其他节点的最短路径。它的主要特点是基于广度优先搜索思想，以起始点为中心向外层层扩展，直至到达搜索终点。这是一种动态启发式路径搜索算法，可以实现让机器人在陌生环境中自主行动。该算法无须预先绘制地图，而是在探索的过程中时刻调整路径。

如图 6-6 所示，如果要在图中找到任意节点到其他节点的最短路径，可以利用 Dijkstra 算法。

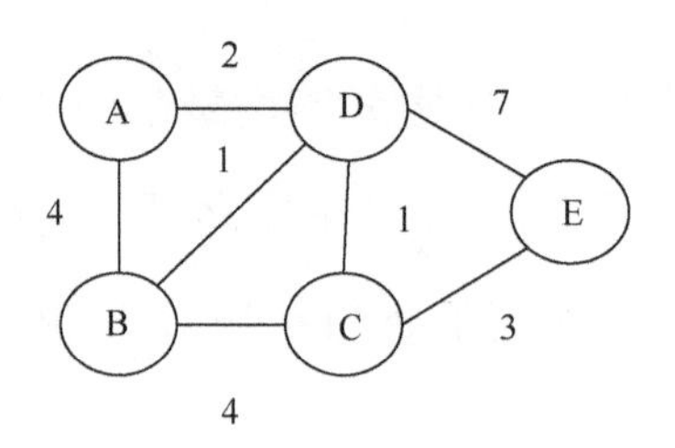

图 6-6　最短路径示例

（1）选定一个起始节点，例如选定 A 点作为起始点，则需要计算 A 点到其他节点的最短路径。

（2）引入两个集合（S、U），S 集合包含已求出的最短路径的点，U 集合包含未求出最短路径的点。

（3）初始化两个集合。

（4）从 U 集合中找出路径最短的点，加入 S 集合，例如 A–D = 2。

（5）更新 U 集合路径，如果（‘D 到 B,C,E 的距离’+‘AD 距离’< ‘A 到 B,C,E 的距离'），则更新 U。

（6）循环执行（4）、（5）两步，直至遍历结束，得到 A 到其他节点的最短路径。

3. RRT 算法

RRT 算法基于快速扩展随机树（RRT/rapidly exploring random tree）的路径规划算法，是一种多维空间中有效率的规划方法。它避免了对空间的建模过程，通过对状态空间中的采样点进行碰撞检测，有效地解决高维空间和复杂约束的路径规划问题。RRT 算法原理简单且不受机器人类型、自由度限制，在具有复杂的约束条件下仍可以正常使用，在机器人领域被广泛使用。

RRT 的核心思想是快速扩张一群像树一样的路径以探索（填充）空间的大部分区域，伺机找出可行的路径。在自然环境中，树木的能量来源主要为阳光，树木要用尽量少的树枝占据尽量多的空间以最大限度地吸取和利用阳光。RRT 就是参考了树木的这一特性，因为在环境中搜索轨迹，也许并不知道应该向哪个方向寻找，如果在错误的方向寻找则找到路径的概率为 0。在这种情况下，“随机”不失为一种有效的解决方法，虽然不知道应该向哪个方向探索，但是通过随机地反复试探还是能找到最终路径的，并且随着试探次数的增加，将会以越来越大的概率探索到最终的路径。

当然，在采用 RRT 算法进行路径规划时，也需要考虑到算法的不足之处。利用 RRT 求得的路径质量一般都不是很好，可能包含棱角、不够光滑，通常也并非是最优的路径；另外，针对狭窄的通道，由于其面积小，被碰到的概率低，因此 RRT 算法并不适合在这种环境下查找路径。

RRT 算法的实现步骤可以概括如下。

（1）选定起点位置作为种子，从它开始生长枝丫。

（2）在机器人的“构型”空间中，生成一个随机点。随机点一般是均匀分布的，没有障碍物时树会近似均匀地向各个方向生长以达到快速探索空间的效果，如果事先已经知道最有可能发现路径的区域，则可以对这个区域进行重点搜索，而不再选择均匀分布的随机点了。

（3）在树上找到距离最近的那个点。

（4）朝着最近的那个点的方向生长，如果没有碰到障碍物就把生长后的树枝和端点添加到树上，返回（2）。

4. 演示实验

在 Pycharm+Python 3.7 实验环境中使用 numpy、math、matplotlib 三个库文件，了解路径规划的 3 个经典算法及其实现过程，最终用算法实现路径的规划，读者可下载教材配套资料查看具体代码并验证算法效果。

6.5 本章小结

在本章中，首先介绍了智能机器人的研究进展、发展趋势以及应用领域；其次对机器人体系结构和视觉系统进行了简单的讲解，使读者对后续内容的理解更加清晰明了；再次，重点解释了智能机器人的路径规划问题，从导航、定位、避障、路径规划四个方面将路径规划中的关键内容进行了详细说明，使大家对路径规划的实现有了一个宏观的认识；最后，通过两个应用示例，对机器人中运用计算机视觉分析和路径规划的问题进行了说明，从感官上体验机器人技术应用效果，带领读者对机器人中关键技术有了全面、主观的认知。

习题 6

6-1　简述智能机器人的研究现状及发展趋势。

6-2　举例说明智能机器人的应用。

6-3　智能机器人的导航技术有哪些?

6-4　智能机器人经典避障算法有哪些?

6-5　智能机器人如何实现路径规划?

6-6　如何利用 OpenCV 工具快速实现人脸嘴部的识别?

6-7　简述 A-Star 算法的程序实现流程。

第七章

人工智能伦理

控制论之父维纳在他的名著《人有人的用处》中，在谈到自动化技术和智能机器之后，得出了一个危言耸听的结论："这些机器的趋势是要在所有层面上取代人类，而非只是用机器能源和力量取代人类的能源和力量。很显然，这种新的取代将对我们的生活产生深远影响。"维纳的这句谶语，在今天未必成为现实，但已经成为诸多文学和影视作品中的题材。

7.1 人工智能的安全问题

7.1.1 人工智能安全问题的出现

在科技发展史上，科学技术的每一次进步和变革都会不可避免地带来"双刃剑"效应。人工智能技术也是如此，它的提出到应用正在以惊人的速度改变着我们的生活方式，逐步渗透到了工业制造、家居、教育、医疗、物流等各行各业中。虽然人工智能尚处于发展阶段，但这项技术可能带来的安全、伦理、隐私等一系列问题早已引起了人们的关注，这些问题直接影响着人们对人工智能技术的信任程度，随着智能革命的发展人们的生活也将迎来一场翻天覆地的变化。

1. 对于未来人工智能拥有自主意识的担忧

人工智能能够实现在没有人类干预的情况下，基于知识进行自我修正的运行。霍金提出，最大化使用智能性自主武器，可能招致人类的灭亡。在人工智能系统开始运行后，其决策就不再受到操控者的指令控制，这种决策方式很可能导致人类无法预想、无法控制的结果。如果再经过一段时间的发展，人工智能具备超越人类智能的可能，那么人类有可能面临人工智能失控的风险。因此，在人工智能不断发展的阶段，对于人工智能的安全问题同样不容忽视。

2. 当前人类社会面临的人工智能安全问题

鉴于人工智能算法与系统的特点，因人工智能技术的客观原因导致的安全问题主要源于以下三点。

（1）系统安全层面。集中表现为基础安全技术缺陷、智能硬件的系统漏洞，以及当前智能技术和产品供应链条的复杂性。

（2）算法透明度与可解释性层面。AI 技术本身具有一定的不确定性，由于人类没有充分认识到人工智能算法的自主学习与决策过程，以深度学习为代表的人工智能算法经常被视作一个无人理解的黑箱。因此，人工智能算法可解释性和透明度的严重缺失，可能给人类社会带来巨大的影响。

（3）数据使用和隐私保护层面。人工智能的不断发展是建立在大量的个人数据的记录和分析之上的，所以如何在这个过程中保障个人隐私，合理地使用个人信息则是重中之重。

上述三个问题本身就是巨大的风险，同时由其引发的归责问题、监管问题乃至国家安全问题、社会安全问题等也都是人工智能发展面临的挑战。安全是任何科技能够长足发展的前提，如何增加社会对科技的信任，如何让科技的发展遵循伦理道德要求都是我们需要考虑的问题。

7.1.2 人工智能安全风险的特征

1. 共生性

人工智能可以看作人类智慧的延伸，它是一种以人类内在需求为导向的科学技术。人脸识别、刷脸支付、语音助手、自动驾驶等人工智能应用给我们的生活带来了更多的便利，人们的生活方式、思维方式、发展理念乃至社会制度都有着不同程度的变化。因此，这种共生形式会从技术本身以及技术对于社会上层建筑的影响两个方面形成安全风险。

2. 技术性

人工智能技术是当前社会先进生产力的代表，像互联网技术一样，它让许多旧的产业都获得了改头换面的新生。人工智能的安全风险程度取决于技术发展的速度和其安全的可控程度。人类社会要在积极推动人工智能技术研发和应用的同时，为它的发展应用规划出一条安全边界，保护人类也保护技术本身。最后，技术本身会为上层建筑带来一定的风险。经济基础决定上层建筑的变化发展，建立在经济基础之上的社会的政治、法律、文艺、道德、宗教、哲学等社会意识形态，以及与之相适应的政治法律制度和设施都会发生更替。这种创造和改变对社会发挥什么样的作用需要时间和实践的检验，由此就会形成一定的制度化风险。

3. 时代性

人工智能技术的出现和发展既是人类需求的产物，也是时代的产物。因此，人工智能安全问题的出现是发展的客观表现，不会因为人类主观意志的变化而改变。智能技术是智力物质化的客观推动力量，最终发展的形态是人类社会的智能化。而社会智能化本身需要经历一系列社会变革才能够稳定和实现，期间必然会经历不同阶段智力物质化性质、程度等方面的彻底变化，这一过程也必然呈现出一系列的社会安全问题。

4. 全球性

受到各国人工智能产业现状和背后基本国情的影响，不同的国家对人工智能安全领域相关政策的关注点也有一定的差异。作为人工智能技术最发达国家之一的美国，不仅从战略、法律、标准制定上做出了规范，对于一些具体的应用场景和技术也进行了规范；而欧盟更多地关注如何继续保持在新兴产业领域的话语权；日本、韩国、新加坡等亚洲国家更多的是将关注重点放在如何通过人工智能的安全发展促进各行各业的健康发展，并对一些安全问题、伦理问题做出原则性规定。从各国对于人工智能关注度来看，关于人工智能安全问题的政策治理已经上升到了国际竞争的层面，如何正确对待人工智能的安全问题，如何加强在国际领域的话语权问题关系到每一个个人、主体组织、国家、区域性组织乃至人类社会。

7.1.3　人工智能安全问题的应对策略

面对人工智能带来的安全问题，我们要保持理性对待，分而治之。

一方面，就目前来说，人工智能中存在的安全问题是多方面因素导致的，我们需要理性分析，对症下药。对于客观技术因素导致的安全问题需要适度宽容，因为任何一个新事物的产生都不是绝对安全可靠的，机遇挑战和安全风险并存，尤其对于这一诞生于数字时代还不够成熟的人工智能技术来说，我们更应该对它进行保护和监管；而对于主观人为因素导致的安全问题需要坚决抵制，我们要守住正义的底线，不要被利益冲昏头脑。如果想要人工智能更好地推动社会经济发展，我们就需要持续关注人工智能的安全问题。

另一方面，需要加快人工智能技术安全评估和应用管理工作。从我国《新一代人工智能发展规划》来看，人工智能技术安全评估和应用管理工作力度还有待进一步提高。人工智能技术安全问题产生的主要原因是技术发展不成熟，此时对于人工智能的安全问题的政策引导要大于政策限制，发挥政策的灵活性，审时度势，保障人类与人工智能的协调发展。政策制定得适当与否直接决定了产业发展的好坏，过于宽松或过于严厉的政策都不利于产业的发展，我们应该加快构建与智能化时代发展相匹配的法律法规体系，倾听多方面的意见，制定更加科学高效的政策和伦理准则，建立人工智能技术应用的安全标准体系，真正发挥政策的治理效果，真正做到依靠安全标准的提高来促进产业的质量升级和健康发展。

总之，人工智能的未来充满未知，道路曲折起伏，随着人工智能技术的进一步成熟，以及政府投入的日益增长，人工智能的应用领域将会不断扩大，对生产力和产业结构也会产生革命性的影响，并推动人类进入普惠型智能社会。但目前的人工智能依旧存在明显的局限性，依然有很多“不能”，一系列安全问题也逐渐显现出来，与人类智慧还相差甚远。在未来的研究当中，人工智能将加速与其他学科领域的交叉渗透，我们将把人工智能的安全问题作为一项长期研究项目来探讨，构建自主可控的创新生态模式，预测人工智能系统可能潜藏的安全问题，以及如何预防和应对。

7.2 人工智能的教育理念

1. 人工智能驱动智慧教育

近年来，人工智能逐渐深入各行各业，随着人工智能的进一步普及及教育行业改革的进一步推进，校园建设逐渐从数字校园转向智慧校园。高效、便捷、学校与家庭的协同式教育都成为发展方向，以人工智能技术为支撑的智慧校园便应运而生。“AI+教育”“智慧课堂”等名词逐渐出现，许多人工智能设备陆续进入课堂，老师借助大数据和智能设备了解学生的课堂情绪和作业状况，并对课程进度和授课方式进行有针对性的调整，而学生也可以通过数据分析了解自己对每个学科知识点和能力点的掌握情况，更有效、更科学地提升自己的成绩。

2. 智慧教育的理念内涵

随着人工智能时代的到来，依照同样的标准批量生产人才的模式难以为继，时代的发展对教育教学提出了新的要求。智慧教育是指以“人的智慧成长”为导向，学校除了教授各种科目的书本知识，更重要的是激发学生的求知欲，利用所学知识解决问题，拆除各门学科之间的屏障，让科学与艺术不分家，让数学与哲学强强联合，完成大跨度的创新。以往的教育只有三个主要角色，分别是老师、学生和家长，但逐渐崛起的人工智能即将成为教育的第四极，帮助老师和家长为孩子提供更有温度、更有效果、更有针对性的教育。

智慧教育包括三个组成部分：一是相互融会贯通的学习场景，传统的教育模式过分地强调专业的细分化，新模式下的学科融合是教学的理想境界和品质追求，解决了知识的零散和刻板问题，提升学生的系统性思维；二是灵活多元的学习方式，注重学习的社会性、参与性和实践性，打破学科之间的界限，开展面向真实情境和丰富技术支持的深度学习；三是富有弹性的组织管理，破除效率至上的发展理念，释放学校的自主办学活力，利用人工智能提高教育治理的现代化水平，让学生站在教育的正中央。

3. 智慧学习环境

传统课堂上，老师们兼顾讲课和秩序维护多重任务，无法关注到所有的学生，但是人工智能的介入可以让每一个学生得到专属的关注、反馈、陪伴和鼓励。大数据和人工智能技术使我们有机会打开学习过程的“黑匣子”，学习数据经过沉淀、分析和处理形成数字画像，挖掘学生的学习习惯、解题思路、知识点的掌握情况，继而进行个性化教学，提高学生的参与度、满意度，让孩子们更喜欢学习。

（1）全面感知的学习场所。以前，校园只是一个开展教学的场所；未来，校园将变成万物互联的智能空间。智慧校园建设的关键在于“云化”，将学校的信息上传到云端，实现各大高校信息的互连互通。一是利用物联网技术为学生创设安全舒适的学习环境，二是借助情境感知技术为学生身心健康发展提供有力支持，三是利用大数据技术对学习过程进行跟踪，提供量身定制的最优学习路径。

（2）灵活创新的学校布局。未来的教育方式将以人工智能和大数据为支撑，学生自主学习为主，老师个性化指导为辅，通过“师生学习共同体”的新模式呈现。力争把教室打造成创新的学习空间，智慧的育人环境。一是创新教室布局，改变教学方法、教学形式，在教室里配备可移动、易于变换的桌椅设施，借助人机交互手段，支持教师开展多样化的教学活动，视角学习环境更加生动、鲜活。二是扩展学校的公共空间，摒弃以往的“标准化”教学，按照多功能、可重组的设计思维，加强空间资源的相互转化，给学生提供更多的活动交往空间，依据人工智能和大数据系统提供的学生发展报告，填补正式学习与非正式学习之间的鸿沟。三是优化校园空间，将课前、课中、课后环节有机融合，给学生提供动手实践的场地，建立创客空间、创新实验室、创业孵化器等新型学习环境，培育有共同兴趣爱好的实践社群。现在，国内外越来越多的学校已经将人工智能引进课堂，“AI+”的探索模式已经为当前的教育市场打开了一扇前途不可限量的大门。

（3）深度交互的网络学习空间。网络教育的真谛在于实现人文交互环境下的个性化学习。未来，网络学习空间将从课堂教学的延伸走向教育形态的重塑，构建群体个性化的学习共同体和实践共同体。一是开发智能学习助手，老师们根据教学报告开展教学研讨，并制定教学计划，有针对性地安排教学进度和内容，系统根据学生们的需求、学习路径和检索痕迹，过滤无关的信息，推送学习资源和学习支持。二是强化成员间的关系网络，系统可以对教学大数据进行收集、分析和预测，为精准化的教育提供了可能，根据师生关系、学生关系提供更加匹配的组合方案，老师们可以将更多的精力投入教育中，学生们也可以提升学业水平和学习兴趣。三是提供远程协作、社会网络、同步课堂等方面的工具，远程专递课堂、网络空间教学、异校同步教学等技术手段突破教学场地的限制，让亿万孩子同在蓝天下共享优质教育。

4. 智慧学习方式

教育信息化的不断发展，教育形式和学习方式都产生了巨大的变革。智慧学习希望利用信息技术来辅助学习过程，相比以往填鸭式死记硬背的学习模式，智慧学习倡导在更加轻松、愉悦的环境中接受新的知识、提升动手动脑的能力。仅仅以知识为导向的教育模式早已不能满足时代的发展，如何从知识走向智慧，如何从智慧找到幸福才是成功教育的关键。

（1）深度学习。深度学习是人工智能的语境下的一种新的算法，是机器学习的一个分支。其概念源于人工神经网络的研究，它通过从信息处理的角度模拟人脑的神经结构，构建具有多隐含层的机器学习模型和海量的训练数据，让机器自动学习有用的特征，能让计算机具有人一样的智慧。“深度”即层数，深度超过 8 层的神经网络才属于深度学习的范畴，含有多个隐层的多层学习模型是深度学习的构架，深度学习可以通过组合底层特征从而形成更加粗放的高层来表示属性类别或特征。“深度模型”是手段，“特征学习”才是最终目的。要在已有知识的基础上，将所学新知识与原有知识建立联系，获取对知识的深层次理解，建立一套自己的思维框架，并有效迁移到其他的问题情境中。

深度学习包括 5 个环节：一是还原知识的丰富情境，知识的来源就是深度学习的起点；二是面向实践的学习活动，学习知识是为了更好地解决实际生活中发现的问题，以目的为导向进行学习；三是用不同视角透视学习，提供社会化软件及其他认知工具来支持学习，允许共同体成员拥有不同的角色和身份，鼓励提出不同观点，让学生在对话和互动中建构知识；四是提供成果展示及表达的机会，学习的目的在于实践，在实践的过程中检验学习的成效，引导学生在实践中进行反思，加深对知识的理解；五是建立更加立体的评价，让学生自己看清楚问题所在，让老师找到对症下药的切入点，把标准化教育转为个性化教育，通过对学生的成绩进行分析和处理，看到学生分数背后的能力缺失和学习需求等，为不同的学生制定不同的标准，实施不同的教学方式，让每一位学生都感受到学习的乐趣。

（2）跨学科学习。人类的智慧来源于知识观的完整，它不是零敲碎打的，而是与整体特征密切相关的。传统的“分科主义”课程观是启蒙理性与工业文明的产物。学生就像储存知识的“蓄水池”，而老师则是灌输知识的“水泵”，机械的填鸭式教学使教学远离思维，导致孩子们只能被动地学习，使学习沦为一项任务。信息时代的到来使这一现象有了改观，信息通信技术的广泛应用和普及，把跨学科学习作为重点，灵活运用两种甚至多种学科解决真实问题，形成一种将综合性和探究性为一体的深度学习方式，培养学生的创新精神和实践能力，突破学科边界去思考，构建相互衔接贯通的课程体系。

跨学科整合有三种取向：一是学科知识整合取向，每一门学科都具有领域独特性和相对独立性，但不同的学科之间相互影响，相互依存，找到不同学科之间的连接点，建立联系，以创造性解决问题；二是生活经验整合取向，任何一门学科的学习，都必须与日常生活和职业建立内在联系，从社会的角度选择典型项目进行结构化设计，从培养学生的创新精神、实践能力和社会责任感等跨学科素质的发展出发，在实践中习得蕴含其中的多学科知识与技能；三是学习者中心整合取向，由于社会生活日新月异，学科知识迅猛发展，学生的个性发展需求千差万别，老师无法预设所有问题，此时需由学生个体或学习小组提出个性化的任务，任务内容需要学习并运用跨学科知识。

（3）无边界学习。英国教育界首先提出了“无边界学习”的概念，相较于传统的教育模式，无边界学习采用多元化浸入式互动学习环境，各种无边界学习活动，将学习的场所从单一的教室延伸到学校周边的图书馆、历史遗迹、社区资源、教育基地等，学习的形式也从老师的独角戏扩展到小组交流、楼梯间图书角、校外美术涂鸦长廊、科创实验室等，利用所有的学习平台为学生提供一个不受时间和地点限制的学习空间。

无边界学习既是教育自身发展的需要，也是社会发展的需要，它包括以下内容：一是把知识学习和现实生活连接起来，教育是随着生产力的发展而发展的，为了适应机器大生产，分科式教学应运而生，面对今天的互联网时代，知识的跨界融合成为教育的一大特征，变化的学习场所、多样的学习形式使学习突破传统的时空限制，做到时时可学习，处处可学习；二是建立实践共同体，“生活即教育，社会即学校”是陶行知先生创造的教育理论之一，他主张将课程、学校的概念拓展到生活、社会中，加强学校与产业和行业之间的合作，鼓励学生动手实践，把整个世界都变成孩子们的教室，将书本上的知识外化于行，去解决现实问题，在实践中获得真正的本领；三是技术增强的泛在学习，利用混合现实技术，将虚拟场景融入真实世界，让学生有机会观察微观世界、感知抽象概念，让学习不再枯燥。

5. 智慧教育管理

教育大数据指的是在整个教育活动中产生的、根据教育需要采集的、用于将来教育发展的、可以创造巨大价值的数据集合。教育大数据是一种教育行业的战略性资产，是推动教育行业改革的科学力量，是发展智慧教育的基石。智慧教育管理需要对外接需求进行智能处理，更加关注人的完整实现，从根本上激发和释放学校的办学活力。

（1）破除“效率至上”的评价导向。

教育是教书育人的过程，不仅仅是将客观的知识授予他人，更是一种提高人的综合素质的实践活动。所以效率从来不是教育追求的目标，我们更多地应该关注人的智慧成长。培养什么样的人是教育的首要问题，教育事业要在增长见识上下功夫，要在培养奋斗精神上下功夫，要在增强综合素质上下功夫，摒弃以效率为绝对导向的教育。一旦学校被功利化、浮躁化的思想所绑架，就会陷入“谁先减负谁就利益受损”的囚徒困境，并最终走向共同毁灭。

所以，智慧教育一定要遵循教育规律，破除“效率至上”的痼疾。一是坚持立德树人，从加强品德修养上下功夫，不以单一的成绩标准评价学生，把品德、行为习惯、社会实践等方面的表现都纳入参考范围，利用人工智能对定性数据进行分析，更加科学地全面评价学生。二是综合考虑学生的起点水平，唯分数、唯文凭、唯论文等现象是对教育规律的违背，面对常说常新的教育痼疾，需要进行彻底的体制机制改革，把增值性作为评价学校的基本原则，充分发挥学校办学的主体作用，充分释放教育事业发展的生机活力，重点关注学校提供高质量课程的水平，以及满足学生个性化学习的程度。三是基于大数据的教育管理优化，全国范围内正在逐步形成自下而上的教育数据采集和管理机制，各级各类学校都在通过数字校园建设部署各种教育信息管理系统，简化传统教育教学管理流程，从而提升了管理效率和水平。

（2）充分激发学校的办学活力。相较于传统教育管理，智慧教育向着教育管理可视化转型发展，必须从根本上激发学校的办学活力。一是落实学校的办学自主权，形成政府宏观管理、学校自主办学、社会广泛参与的教育格局，真正做到为学校松绑，为校长松绑，最终实现孩子的快乐成长和教师的专业发展。二是完善学校的内部治理结构，利用信息化手段提高教育治理的现代化水平，推动教育决策由“经验化”向着“数据化”转变，建立普通师生、家长、社区及相关利益方参与学校管理的机制，形成依法办学、自我约束、多元参与、社会监督的网状治理结构。三是增加学术团体的权利，才能充分落实学校决策中的有效分权，明确各部门管理权限，形成新的治理单元，成立以教师、家长、社区不同人员构成参与的学校治理平行机构，使各个部门各司其职，行使自己的权利，做到相互制衡和相互协调。

（3）构建全社会参与的教育生态。2018 年提出的“教育信息化 2.0”概念，就是要以教育信息化全面推动教育现代化，在师生之间、生生之间、教师与学校之间、人与资源之间、校内校外之间进行互联，以信息化的手段支撑教师的“教”和学生的“学”。一是积极引导多元社会主体参与教育，2005—2015 年，高等教育办学多元化格局渐渐形成，民办高校群发展，成为高校数量增长的重要生力军。二是建立行业专家驻校制度，学生不仅需要从各领域专业教师那里学习知识，而且要与各个领域的专业人士进行交流和学习。邀请行业专家来校对学生进行交流与指导，能够让学生获得第一手信息，了解各领域人士的日常工作的性质，并直接提问交流，拓宽学生们的视野；三是支持学校购买教育服务，加大财政投入力度，拓展教育公共服务的有效供给，给每一个学生提供个性化的课程，最大限度地满足学生多样化的学习需求。

7.3 人工智能工程伦理实例

给人们生活带来极大便利的互联网、大数据和人工智能正成为当下的关注热点，对这些问题的讨论不仅涉及技术层面，也涉及价值层面。因为这些技术正冲击着现有的法律规范与伦理认知。技术乐观主义者与悲观主义者似乎各执一词，对技术本身与技术引发后果的道德评价持不同的态度，这种分歧在最近对人工智能换脸视频的讨论中再次浮现。

如果未经许可而使用他人的脸部肖像会侵犯肖像权、名誉权，未经授权而篡改影视著作会侵犯著作权等，而以人工智能技术为基础的换脸视频引发的许多伦理问题是充满争议的。

1. 人工智能换脸视频的伦理争议

新兴技术拓展了新的领域与空间，伦理规范等却保持相对稳定性。当伦理规范未能与时俱进时，技术与伦理之间便产生鸿沟，引发一定的争议。基于人工智能的换脸视频在传播中产生的伦理争议主要有以下三个方面。

其一，损害真实性。网络视频作为视听新媒体的形态之一，由于其记录了人或物完整的动态变化，与图片相比有着更高的可信度，常被作为可靠真实的媒体信源或法律证据。但换脸视频往往以假乱真，损害了信息的真实性。媒体和法律界人士认为，换脸视频增加了人们获取真实信息的难度，提升了信息来源筛选和证据判断的难度。研究人工智能系统的谷歌工程师伊恩·古德费罗警告人们大量伪造假冒视频的严重后果："我们原本一直依赖视频作为事实的证据，如今看来，这不过是一个历史性的运气罢了。"如果公众对其被换脸前的内容不熟悉，很容易认为换脸后的虚假内容是真实的，从而造成谣言传播、误解产生、冲突加剧等现象。所以，保障公众对视频制作者所做的技术操作、被换脸前后内容的具体情况进行了解的权利，应成为换脸视频制作与传播的底线。

其二，威胁个人安全。目前流行的换脸视频多是来源于人们熟悉的影视素材，并且娱乐性较强，因而对一般人没有威胁。但当技术发展到可以被普通个人掌握时，一旦被人非法利用，许多让人担忧的状况就会出现。另外，制作换脸视频需要提前收集被换脸人的照片、视频等信息，其中包含个人生活、工作和交往的数据、图片等，大量而广泛的数据搜集势必会形成对个人隐私安全的威胁。可以说，人工智能技术带来的安全风险主要在于人们的滥用。

其三，危害公共利益。技术的开发和应用应当有利于维护公共利益。为了私人利益，为了获取关注度或片面追求经济利益而滥用换脸技术制作传播虚假视频、黄色视频、侵权视频等，都可能破坏社会秩序与稳定，这种行为危害了社会的公共利益。

2. 不应因伦理争议而禁止换脸技术的使用

换脸视频产生伦理争议的原因，并不在于技术本身，而在于使用技术的人。正如Naughty America公司首席执行官安德里亚斯·赫罗诺普洛斯所说："深度伪造视频不会伤害别人，只有使用深度伪造视频的人才会伤害别人。"如果视频制作前已经征求被换脸双方的同意，出于技术交流目的或娱乐性质而非营利目的，且无损公共利益的内容，那么，这种换脸视频会得到大众的认可。

技术应用的目的是服务于人类社会，为人们提供更好的生活基础与精神满足，人工智能技术也不例外，如果得到合理的使用，便会给人类带来巨大的福利。在不被滥用的前提下，人工智能换脸技术能够实现分享利益与技术价值，有利于促进经济增长，催生出新行业，也能够给人们带来丰富的、前所未有的体验。若因出现的各种新问题而急忙否定新兴技术，那么技术领域的任何一点进步和发展都会成为幻影。技术是一把双刃剑，技术的发展会为社会带来新的积极的变革，也会带来隐患与威胁。粗暴地遏制和自由地滥用都是不可取的。所以，政府应该针对“换脸视频”等恶意网络技术尽快出台相关法律、伦理规范等，以规制技术使用者和传播者。

3. 规范人工智能换脸视频的措施

规制技术应当“以道驭术”，强调“技术所产生的宏观社会效果，力求限制和消除不适当的技术应用带来的消极影响”。要使换脸技术被更多人合理、合法地使用，需要在广泛借鉴的基础上进行制度性的安排。在此过程中，政府、科学团体、社会组织、市场企业和公众应各司其职、各尽其能，以适当、合理的角色参与治理，努力构建一个由多元主体共同参与的全方位伦理治理模式。

其一，出台相关法律法规。对于人工智能换脸技术带来的新问题，制定法律应当是最有效的应对措施。政府和相关立法部门不仅要牢牢把握人工智能技术的发展方向，使其在最大程度上造福人民，也应为人工智能产业制定安全标准和必要的规范，减少其安全隐患。

其二，开发识别与破解技术。换脸技术下生产的视频已是虚假视频，为了甄别此类视频、保障人们了解视频原本内容的权利，减少其带来的负面影响，开发推广识别和破解技术是直接的应对方式。

其三，制定详细可行的伦理规范。目前已有的科技领域或人工智能领域的伦理规范的制定主体，主要有政府机构部门、科学家团队、高科技企业、协会等，并且这些伦理规范大都是一些较为宏观的指导性原则，应当在人工智能的不同技术领域，结合特定技术的特点和伦理难题设计出切实可行的规范，并鼓励公众参与其中，以消减伦理规范制定中的精英主义倾向。

其四，建构科学的技术监督与评估机制。传统技术评估与政策制定方法是一种“技术—经济”范式，即优先考虑的是某项技术发展投入的成本，以及所能够预期获得的收益。这样的评估机制是不健全的，应重构评估办法，改进相关政策，在评估中加入伦理要素。例如，成立相关技术伦理委员会，建立研究技术风险的专家队伍，讨论、评估和监督新技术的研发与使用等。

其五，强调技术研发者与应用者的自律。所谓责任伦理，实际上是一种以“尽己之责”作为基本道德准则的伦理。其判定道德主体之道德善恶的根本标准，在于道德主体在一定的道德情境中是否尽了自己应尽的责任。人工智能技术开发者和应用者理应承担相应的社会责任与伦理责任，把运用科技成果促进人类的福祉作为树立的信念和追求的目标。

人工智能技术是一把双刃剑，正确使用可以服务于人类社会，创造更好的生活基础，提供更丰富的精神食粮，但如果被不法分子所利用，将带来消极的影响，阻碍国家的经济发展，影响人们的正常生活。基于人工智能的换脸视频具有伦理争议性，只有制度性的约束，才能最大限度地消除其弊端，发挥其积极作用，让人们在享受科技带来的便利的同时，也不会担心安全问题。总体来说，完善的制度、进步的伦理观和人工智能的发展三者相辅相成、相互促进，人工智能的快速稳定的发展需要制度与伦理的引领和规范，而制度与伦理也能够促进人工智能技术的健康发展。

7.4 本章小结

随着人工智能的发展和普及，其带来的伦理讨论也越发激烈。本章首先分析了人工智能已经或者可能带来的一些安全隐患、安全风险的特征，以及面对安全问题时的某些应对措施，然后讨论了人工智能课程或技术的教育理念及方式，最后以“换脸视频”为例说明了人工智能技术如何向着积极有力的方向发展。通过本章的介绍可以发现，人工智能的发展任重而道远，我们在不断深入地探究技术本身的同时，还需要加快相关的伦理研究，构筑我国人工智能健康发展的竞争优势，早日实现智能社会的建设，用技术造福百姓。

习题 7

7-1 人工智能引发的安全问题讨论有哪些?

7-2 人工智能安全风险的特征有哪些?

7-3 面对人工智能安全问题，我们应如何应对?

7-4 为更好地加强人工智能的教育，请简述智慧学习的方式。

7-5 分析人工智能换脸视频带来的积极和消极影响。

7-6 观察生活，简述一个人工智能工程伦理实例。

第 | 八 | 章

人工智能创新创业应用

人工智能的飞速发展给我们的生活带来了很多的便捷，推动了社会生产的进步。总体来说，人工智能研究的一个重要目标是使机器能够胜任一些通常需要人类才能完成的复杂工作，为人类的生产、生活带来更大的便利。接下来，我们将针对人工智能的创新创业应用进行较为详细的剖析。

8.1 人工智能发展前景及创新创业项目介绍

8.1.1 充满生机的人工智能产业

源于深度学习算法的提出，当前人工智能产业的发展主要归功于技术性的突破——基于数据量和计算能力的大规模计算。然而，如关于意识起源、人脑机理等超级人工智能方面的基础理论研究，仍具备很大的发展潜力。

2018 年 5 月 10 日，特朗普政府在“美国产业人工智能”峰会上表示，为保证美国在人工智能领域的领先地位，将允许人工智能在美国不设限制的“自由发展”。与此同时，法国、印度相继宣布在国家层面的人工智能战略部署。2017 年，我国政府工作报告已经收录了人工智能，使其成为国家战略性新兴产业发展规划的关键。2018 年 5 月，第一批中小学人工智能课程开展试点，人工智能人才梯队逐渐成型。人工智能，似乎渐渐发展成为兵家必争之地。“人工智能”也不再是一个新的名词，从 AlphaGo 参加围棋比赛到支付宝的刷脸支付（见图 8-1），从无人机的航拍勘探到无人驾驶车辆的上路，人工智能的应用逐渐影响到人们日常生活的方方面面。

图 8-1　支付宝推出刷脸支付方式

1. 遍地开花的核心产业链

通常被大众所熟知的人工智能核心产业链领域，大多处于产业链中的应用层级。但是人工智能的核心产业链，即人工智能行业的可投资领域，不仅仅局限于应用层面，每一个层面的每一个板块，都具有蓬勃发展的前景。

作为人工智能的核心，智能芯片成为各大科技巨头布局的重点领域。英特尔、英伟达等传统芯片巨头携手谷歌、微软、高通等公司占据智能芯片的半壁江山。谷歌在第二届 I/O 大会上震撼发布了第三代深度学习芯片 TPU。2018 年 5 月 3 日，中国寒武纪科技公司发布了首款 AI 云端芯片和第三代终端处理器，而中美贸易战的打响，不仅对我国芯片行业带来了深远的影响，更会全方位地加快我国智能芯片的自主创新和研发。

在语音识别领域，从苹果手机的 siri 到微软的“小冰”，语音识别技术被广泛应用于医疗、教育、互联网、电子信息、办公等行业。值得一提的是，尽管语音识别有较高的技术壁垒，但鉴于各国使用语言的不同，科大讯飞拥有世界领先的中文语音识别技术，这位中国语音识别界的老大，拟增募 36 亿元的资金加码人工智能。

在智能安防领域，随着图片识别技术和云计算的发展，安防系统也将从被动式防御转型为预警式智能防御。智能公安管理系统、智能交通管理系统、智能楼宇管理系统正在向着更高效、更精确、更广泛的方向不断发展。海康威视与上海交警联合创立“智瞳”图像创新应用联合实验室，联合打造道路图像运用、交通人脸识别等实战运用体系，预计到 2020 年，智能安防将占我国人工智能应用层产业规模的 16%。

2. 逐年递增的产业规模

2017 年，全球人工智能核心产业规模超过了 370 亿美元，而中国人工智能核心产业规模占比超过了 15%。得益于移动互联网、大数据和云计算的不断发展，人工智能将会随着可收集的数据质量和数量的不断提升，加快其技术的革新和商业运营模式的发展。预计到 2020 年，全球人工智能核心产业规模将达到 1 300 亿美元，届时，我国人工智能核心产业规模将突破 220 亿美元。

3. 早已进驻的股权资本

美国技术研究公司 Venture Scanner 的调查报告表明，截至 2017 年 12 月，全球范围内总计 2 075 家与人工智能技术有关的公司，其融资总额高达 65 亿美元。人工智能领域已经成为股权投资的一大“金矿”。不可否认，国外的 FAMGA（Facebook、亚马逊、微软、谷歌和苹果）及我国的 BAT（百度、阿里、腾讯）凭借着强大的技术和资本支持，处于人工智能产业发展的最前沿，但全球数千家人工智能的初创企业正在蓄势待发。与科技巨头相比，初创企业的竞争力在于可以针对人工智能的细分领域，结合自身的特点，进行更为深入的研究、探索和相应的产品开发。

截至 2017 年年底，我国人工智能企业达 2 000 余家，企业数量排名全球第二，但是 A 股上市公司仅 35 家。从资本布局角度来看，我国人工智能领域的股权投资依然具有丰富的选择性。2016 年 8 月，丰厚资本以股权转让的方式退出了于 2014 年 12 月投资的迈吉客科技（北京）有限公司（appMagics），获得了 4.0 的账面回报倍数。2018 年 5 月 3 日，优必选正式宣布完成 8.2 亿美元的 C 轮融资，创造了目前为止人工智能领域全球单轮融资的最高纪录。

8.1.2 拭目以待的人工智能产业发展前景

人工智能能够模拟人的意识和思维的信息过程，虽然它不是人的智能，但它有望实现像人类一样的思考，在将来的某一天最终超过人类。机器人是人工智能的一种表现形式，它能够自主模仿人类的一些行为和活动，例如，简单的行走、操作生产工具等，可以代替人类进行一些高危的工种作业。现代机器人都配有可以编排程序的电子计算机，它们可以识别语言和图像，并做出一定的回应，可以说具备了一定程度的人工智能。

当前的人工智能希望能够赋予机器反应和适应的能力以优化产出。人工智能通过与物联网、机器人等技术的结合，构造出一个整合的信息物理世界。目前人工智能技术正处在飞速发展的快车道上，未来将会有更多的应用部署在全球多个行业和场景，大量的人类工作都将会被机器所取代。

影响自动化速度及程度的不仅仅是技术可行性，还有很多其他因素，如劳动力市场供需、研发和应用成本、经济效益，以及社会和政府监管部门的接受度等。根据 Gartner 2017 年发布的技术成熟度曲线预测，人工智能再经过十年的发展将颠覆我们现在的生活模式，“AI+”将会时时刻刻影响我们的生活。

越来越多的科学家将目光投向未来市场，人工智能有能力解决一些社会的核心挑战。例如，在医疗领域，人工智能将极大地提升我们分析人类基因组和为患者开发个性化治疗方案的能力，甚至大大加快治愈癌症、阿兹海默症和其他疾病的进程。在环保领域，如何分析气候特征，进而大规模地降低能耗，更好地应对未来的气候变化问题都是人工智能的研究内容。在生活领域，针对人工智能 AI 系统的出现，技术人员也进行了创新型的研究和应用，这些系统让代替人类的设想变为现实，在解放劳动生产力的同时优化了用户的服务体验，提高了企业的服务效率和质量。3D 全息视频技术的出现带给人们视觉和感官上的巨大冲击，也许未来这种技术还会普遍应用在人们生活的方方面面。总之，在我们的日常生活中关于人工智能 AI 系统的应用还有很多，AI 系统正逐渐进入我们的生活，甚至可以在以前无法探索的领域有一番作为。

8.2 创新创业项目

8.2.1 创新创业项目简介

创新创业项目包含两个名词："创新""创业"。

创新，是指以新思维、新创作、新发明、新技术和新描述为特征的一种概念化过程。创新是人类特有的认识能力和实践能力，是人类主观能动性的高级表现形式，是推动民族进步和社会发展的不竭动力。只有始终坚持意识创新、思维创新、理论创新和实践创新，一个民族和社会才能走在时代的前列。

创业，从广义的角度来说，是指个人充分运用自己所掌握的知识、技能、资源和及时所发现的信息、机会等，克服思维定式，以创新的思维和艰苦的努力，开辟新的工作途径，开创新的工作局面，争创新的工作业绩，促进取得新的、突破性的工作成就，从而实现某种追求或目标的过程。从狭义的角度来说，是指自主创业，是创业者个人或创业团队以某些资源所有者的身份，利用知识、技术、能力和社会资本，通过自筹资金、技术入股、寻求合作等方式创立新的现代企业，并为社会上更多的人创造就业机会。自主创业的主体是投资者和资产、资源及技术所有者，需要创业者拥有关键的资源或者具有整合资源的能力。

大学生自主创业是指有理想、有抱负的大学生，利用自己的知识、技术和才能，以自筹资金、技术入股、寻求合作等方式，为自己在社会上求生存、谋发展创立新的现代企业，开辟一条新的途径。自主创业者可以在实现自我价值的同时直接为社会创造价值，这种就业方式代表着一种全新的发展方向，开创了一种新的工作模式，也引领了一个新的就业潮流。

创新创业则是指基于技术创新、产品创新、品牌创新、服务创新、商业模式创新、管理创新、组织创新、市场创新、渠道创新等诸多方面的某一点或某几点创新而进行的现代企业创业活动。创新是创新创业的特质，创业是创新创业的目标，创新创业是基于创新基础上的创业活动，既不同于单纯的创新，也不同于单纯的创业。

8.2.2 开展创新创业项目的注意事项

任何创新创业项目的开始、执行和结束都需要经过深思熟虑方可做出决定。一旦确定了方向，就要做好充分的生理、心理方面的准备，这条路不会一片坦途，我们需要充分布局好未来的发展，预估期间的阻碍，锻炼强大的抗压能力，在不忘创业初心的前提下不断重复着发现问题、解决问题的循环。当然，前人留下的宝贵经验也是创业者的锦囊，我们可以借助他们的力量朝着目标快速前进。下面的三条建议或注意事项，是从许多创新创业团队成长经历中提炼出的重要指导建议。

（1）项目实施人员应与相关专家和老师进行充分的交流，从他们那里得到宝贵的指导意见和帮助，在指导立项时，一定要做到项目组有充分的论证，明确自己的项目技术指标和解题成果。

（2）项目组内各成员应重视项目工作，积极准备答辩，及时参与创新创业项目的研发。

（3）对于项目研发过程中产生的知识成果，应进行积极的保护，对团队成员进行申请专利和软件著作权的专项培训。以书面文字的形式对知识成果进行及时的保护，可以避免被他人非法利用，造成不必要的损失。

8.3 人工智能创新创业相关案例

1. 李志飞 AI 创业

在 2016 年的中国计算机大会（CNCC）上，可以获得很多关于人工智能“双创”之路的发展和更深层次的启示。在本次大会上，很多人都分享了自己的新想法，在 CNCC 2016 大会特邀报告中，“出门问问”创始人李志飞介绍了最常见的两条 AI 产业化路线：第一条可以称为 ToC 模式，即在已有的产品上，实现“AI first”战略；第二条可以称为 ToB 模式，是将 AI 作为技术 API 提供给第三方。前者更适用于规模较大的公司，可以打造自主的品牌，逐渐形成规模和商业模式，但是需要更长时间的积累准备，并且需要全栈式的团队支持；而后者更适用于初创型或小规模公司，可以实现初期盈利，并且不需要全栈式团队支持，更加专注、快速地实现丰富多样的应用实践，但是比较难以扩大公司规模。李志飞是约翰霍普金斯大学计算机专业的博士，身为自然语言处理专家的他回国后创办了人工智能公司“出门问问”，携团队开发了一整套人工智能交互技术，并应用在 Ticwatch、Ticmirror 等人工智能产品上，获得消费者的极大认可。他就是选择了更具有发展空间的 ToC 模式，直面消费者需求，打造自主品牌，逐渐形成规模和商业模式，秉承着“纵向产品深度集成,横向产品打通”的思路，利用 AI 技术设计出覆盖人们生活方方面面的产品。

2. 科大讯飞

1999 年，26 岁的中国科技大学博士二年级学生刘庆峰带领十几名同学创立科大讯飞。当时创业的初衷很简单，就是让机器设备像人一样能听会说。科大讯飞创业的第一年，几乎颗粒无收，团队中很多人提出疑问："我们到底要不要做语音？"有人说刘庆峰的团队不如做语音里面的服务器，甚至有人说不如做房地产，但刘庆峰非常固执，要求科大讯飞只做他们喜欢而且能做的事情——中国乃至全球语音产业的龙头。2008 年，科大讯飞在深交所上市，成为中国在校大学生创业的第一家上市公司。如今，在中国移动语音领域，科大讯飞已经占据 70%的市场份额，总市值超过 360 亿元，成为国内绝对的行业领头羊。面对外企和中国互联网企业的潜在竞争，科大讯飞也在积极寻求转型，在 ToB 和 ToC 的路线中摸索前行。目前，科大讯飞在 ToB 方向已经在教育、医疗、汽车、客服四个领域获得了很多的积累和优势。

3. 技术青年创造无人机神话

汪滔，这个戴着圆框眼镜、鸭舌帽、长着小胡子的"80"后小伙，虽其貌不扬，却带领大疆从几个人的团队经过多年的磨炼，成长为一家拥有 4 000 多名员工、客户遍布全球 100 多个国家/地区、估值超过 100 亿美元的高科技公司。汪滔在 2006 年时还在攻读研究生，和两位志同道合的同学一起创立大疆，招募几位成员组成了最初的创客团队，研发生产直升机飞行控制系统。汪滔在创立初期的主要工作是技术研发，他在本科毕业设计成果的基础上继续开发飞控系统，公司最初只有五六个人，在深圳一间民宅里办公。李泽湘也成为大疆的早期投资者，一度持有公司 10%的股份。

大疆在 2008 年研发出第一款直升机飞控系统 XP3.1。在当时大背景下，这个系统已经很成熟了。前几年大疆处境比较困难，但因为能够采用自动悬停技术的产品十分稀缺，而且价格相对较高，所以大疆能够保持正常的盈利。随着多旋翼飞行器开始兴起，汪滔从中获得了新的灵感。大疆很快把在直升机上积累的技术运用到多旋翼飞行器上，植入自己的飞控系统进行出售，得到了初步的资金收入。之后，汪滔开始研发可以在飞行中调整方向的云台技术，实现了飞行过程中在各种环境下稳定的拍摄。在接下来的时间里，大疆不断尝试新技术，攻克各种技术难关，从而拥有了开发一款完整无人机需要的所有技术，并成功将无人机的成本从数千美元降低至不到400美元。2012年年末，大疆推出了一款包含飞行控制系统、四旋翼机体以及遥控装备的微型一体机——“精灵（Phantom）”，操作和调试都非常简单，只需在机身上架设摄像机就可以进行航拍。

如今，大疆的领先技术和产品已被广泛应用于航拍（见图8-2）、遥感测绘、森林防火、电力巡线、搜索及救援、影视广告等工业及商业用途。汪滔说，中国制造业大部分是“用7分的商术，对自己的3分产品进行包装，把精心包装的东西在社交圈、媒体圈中宣扬”，而大疆则是“7分技术，3分商术”。一直以来，中国都缺少一个能够打动全世界的产品。汪滔希望通过大疆对产品的精益求精，让“中国制造”贴上高质量、高品位的标签。

图8-2　大疆高空航拍无人机

4. 被资本追逐的骑行创新

解决好“最后一公里”的交通出行难题，是老百姓的迫切需求。2016 年底，国内共享单车突然火爆，摩拜单车作为早期投入使用的代表企业，仅仅利用 8 个月的时间就完成了 A 轮到 D 轮的融资。“骑行改变城市”的口号渐渐根植入人们的心中。

摩拜单车的创始人胡玮炜做了近 10 年的媒体记者，2013 年年初的拉斯维加斯之行让他启发良多。人与汽车的交互，汽车与汽车的交互，以及未来的交通出行行业都会发生巨大的变化。无论是辞职后创建的“极客汽车”，还是“摩拜单车”，胡玮炜都做到了。摩拜单车用了 15 天的时间，用自行车点亮了一座城市，从零星亮点到灿若繁星，摩拜单车陪着人们从早晨到夜晚，见证着一个城市的点点滴滴。

胡玮炜在极客公园的 GIF 2017 大会上说，“我很喜欢骑自行车，在我看来，一个城市如果能有自行车骑行，那是幸福指数很高的一件事”。移动支付改变着人们的支付方式，同样也为交通出行方式提供了更多的可能。过去的有桩单车并没有最大程度解决出行问题，如何办卡、退卡，到哪里还车，反而影响了骑单车出行的便捷性。随骑随停的自行车便应运而生，手机扫描，开锁还车等技术手段解决了以往共享单车的痛点。

2014 年年末，胡玮炜组建了属于自己的团队。2015 年年初，基于“互联网+科技”思维的摩拜单车出现在街头巷尾。胡玮炜渐渐发现有一大群人也认为摩拜单车是个很酷的想法，自愿降薪加入摩拜，最著名的是前优步中国上海负责人王晓峰，加入后担任团队 CEO。摩拜单车 App 在 2016 年 4 月正式上线，并于当月在上海正式运营，2016 年 9 月摩拜单车全面登陆北京，随后进驻广州、深圳、成都、宁波、厦门、佛山、武汉等城市。胡玮炜是一个很瘦小的女生，她并不像现如今大多数年轻创业者那样侃侃而谈，而是看起来很安静，甚至充满了感性。她不止一次说，摩拜单车更像一场城市复兴运动，改变了城市的生态，而不止于交通出行本身。摩拜单车如图 8-3 所示。

图 8-3　摩拜单车

对于创新创业项目来说，结合人工智能的思想，大家的思维方式可以得到很大的改变，这种改变结合我们的一些新想法，完全可以做出翻天覆地的创造。实际上，任何涉及创新的项目，也必然是超脱大众思维的，敢打敢拼，方能成就一番事业。

8.4　本章小结

本章首先对人工智能产业的发展进行了总结和分析，面对着生机勃勃的人工智能产业，提出了对未来发展的宏伟愿景。可以预见的是，人工智能必将在人类社会中发挥出巨大的作用，产生深远的影响。然后，与人工智能相结合的创新创业项目在近几年也如雨后春笋般发展了起来，创新、创业既要分开单独讨论，又要进行有机的结合。在新时代科技浪潮的助推下，如果能够抓住人工智能技术给予的重大机遇，必将造成人类生产生活的重大变革。本章的最后讨论了几个较为经典的人工智能创新创业案例，希望为大家坚定信心、开拓思路，做出更有价值的创新应用。

习题 8

8-1 简述人工智能产业的现状。

8-2 畅想人工智能产业发展前景。

8-3 什么是 ToB 和 ToC 模式，其优势和劣势是什么？采用这两种模式的典型案例有哪些？

8-4 试着总结三个人工智能创新创业案例的成功经验。

8-5 提出一个创新创业项目新的方向和意义。

参 考 文 献

[1] 谭丽丽，潘英华，谷晓岩，夏艳玲，郝春红. 间隔覆盖条件下坡面产流产沙状况的BP神经网络模拟[J]. 农业现代化研究，2015,36(04):696-701.

[2] 李炳富. 神经网络的应用研究[J]. 电脑知识与技术，2008(20):326-327.

[3] 陈蔼祥，姜云飞，柴啸龙. 规划的形式表示技术研究[J]. 计算机科学，2008(07):105-110.

[4] 杨状元，林建中. 人工智能的现状及今后发展趋势展望[J]. 科技信息，2009(04):524-525.

[5] 邹蕾，张先锋. 人工智能及其发展应用[J]. 信息网络安全，2012(02):11-13.

[6] 刘树安. 人工智能研究领域及其社会影响[J]. 合作经济与科技，2012(19):126-128.

[7] 赵庆澎. 计算机人工智能的发展现状与未来趋势[J]. 电子技术与软件工程，2018(04):254.

[8] 蔡自兴. 人工智能对人类的深远影响[J]. 高技术通讯，1995(06):55-57.

[9] 苗青. 网络安全战略预警系统设计及关键技术的研究[D]. 国防科学技术大学，2002.

[10] 倪慧敏. 水泥混凝土路面质量衰变规律研究[D]. 河北工业大学，2009.

[11] 冯博. 水泥混凝土路面使用性能评价研究[J]. 交通世界（运输. 车辆），2013(09):128-130.

[12] 付敏，鲁晓薇. 数值分析教学中的一般科学方法[J]. 科教文汇（下旬刊），2011(01):32-34.

[13] 郭方. 成都双流国际机场多普勒天气雷达信号处理与监控系统故障分析与排除[J]. 电子元器件与信息技术，2019(04):59-61+103.

[14] 吴双兵，曾均，卓丽，韩贵来. 医学图像教学实验系统设计[J]. 硅谷，2013，6(05):37+21.

[15] 周眉. 图像处理系统中插件的设计与应用[D]. 湖南大学，2014.

[16] 董彧先. 基于 Python 的小恐龙游戏设计与分析[J]. 现代信息科技，2019,3(12):81-82+85.

[17] 颜博. 人工智能技术的发展及其在通信安全领域的应用[J]. 邮电设计技术，2019(04):86-89.

[18] 王睿. 基于 DSP 的自主载体语音指令发布技术的研究与实现[D]. 沈阳工业大学，2007.

[19] 章文彬. 基于脉冲神经网络的语音识别方法研究[D]. 浙江工业大学，2007.

[20] 魏艳娜. 语音识别的矢量量化技术研究[D]. 河北工程大学，2007.

[21] 江小平. 舰载通信系统及其关键技术研究[D]. 华中科技大学，2007.

[22] 万卫锋. 基于 HMM 的语音识别算法研究及 FPGA 上的硬件实现[D]. 上海交通大学，2009.

[23] 时晓东. 孤立词语音识别系统设计研究[D]. 浙江大学，2006.

[24] 高朝煌. 非特定人汉语连续数字语音识别系统的研究与实现[D]. 西安电子科技大学，2011.

[25] 罗希. 基于云计算的语音输入方案研究[D]. 华东师范大学，2010.

[26] 张汀. 语音识别在监狱安防管理中的应用[J]. 电脑知识与技术，2011,7(23):5722-5723.

[27] 李雨霏. 人工智能在数据治理中的应用[J]. 信息通信技术与政策，2019(05):23-27.

[28] 蔡新霞. 我国人工智能概念股上市公司盈利能力及其影响因素分析[D]. 广东外语外贸大学，2018.

[29] 严金强，李波. 改革开放 40 年来我国分配关系变化的理论分析[J]. 上海财经大学学报，2019,21(01):4-15.

[30] 细分领域存在更大发展空间——2018 年人工智能行业分析[J]. 中国包装，2019,39(01):88-90.

[31] 屈军锁，孙阳，白昊，占伟，芦鑫. 实时路况信息共享与查询系统的设计[J]. 西安邮电大学学报，2017,22(02):111-115.

[32] 胡氢，司纪凯. 智能控制技术现状分析及发展[J]. 煤矿机械，2006(06):921-923.

[33] 冯进兵. 分层递阶控制理论与电力系统自动化研究[J]. 电子世界，2012(22):62-63.

[34] 孟雍杰. 论人工智能武器的国际法规制[D]. 浙江大学，2019.

[35] 李鹏，洪梅子，李君，张振，刘勤，文博. 电网运行异常状态诊断分析专家系统的应用研究[J]. 湖北电力，2019,43(01):44-49.

[36] 柳颖，孙兴奇，徐俊涛. 浅谈专家系统在直扩信号分析中的应用[J]. 科技资讯，2011(07):92.

[37] 王荣林. 模糊自适应 PID 非线性控制在电液伺服系统中的应用研究[D]. 南京理工大学，2006.

[38] 王明锋，何康，吴晓倩. 模糊控制在污水处理厂化学除磷加药控制系统中的应用[J]. 净水技术，2018,37(S2):63-66.

[39] 胡波. 液压支架智能控制系统研究[D]. 太原理工大学，2014.

[40] 李文，欧青立，沈洪远，伍铁斌. 智能控制及其应用综述[J]. 重庆邮电学院学报(自然科学版)，2006(03):376-381.

[41] 张震. 浅谈智能控制的发展与应用[J]. 决策与信息（财经观察），2008(12):135.

[42] 蔡自兴，陈海燕，魏世勇. 智能控制工程研究的进展[J]. 控制工程，2003(01):1-5+10.
[43] 卢世健. 刍议智能控制理论的发展及应用[J]. 计算机光盘软件与应用，2014，17(16):37-38.
[44] 张冠华. 基于卷积神经网络的鲸鱼叫声分类研究[D]. 哈尔滨工程大学，2019.
[45] 赵德宇. 深度学习和深度强化学习综述[J]. 中国新通信，2019,21(15):174-175.
[46] 周成伟. 基于卷积神经网络的自然场景中数字的识别[D]. 南京邮电大学，2017.
[47] 王宇. 基于灵敏度剪枝方法的深度神经网络压缩实现研究[D]. 西安理工大学，2019.
[48] 吴海滨. 恶意网页检测技术的研究与实现[D]. 北京邮电大学，2019.
[49] 周建凯，许盛之，赵二刚，俞梅，张建军. 基于深度学习的电池片缺陷识别研究[J]. 电子技术应用，2019,45(05):66-69+77.
[50] 黄泽桑. 基于深度学习的目标检测技术研究[D]. 北京邮电大学，2019.
[51] 吴海滨. 恶意网页检测技术的研究与实现[D]. 北京邮电大学，2019.
[52] 赵德宇. 深度学习和深度强化学习综述[J]. 中国新通信，2019,21(15):174-175.
[53] 李雅琪，冯晓辉，王哲. 计算机视觉技术的应用进展[J]. 人工智能，2019(02):18-27.
[54] 梁杰，陈嘉豪，张雪芹，周悦，林家骏. 基于独热编码和卷积神经网络的异常检测[J]. 清华大学学报(自然科学版)，2019,59(07):523-529.
[55] 闻雅，高志远，王吉富，蔡雨轩，高晟珍，李瑞改. 基于航班数据可视化系统的设计与实现[J]. 智能计算机与应用，2019,9(03):228-231.
[56] 陈茜茹，李志为. 基于树莓派的自动跟随行李箱[J]. 电子技术与软件工程，2019(13):99-101.
[57] 赵少农，赵学作. Python 环境部署及调试[J]. 网络安全和信息化，2019(07):101-103.

[58] 李虹. 基于异源图像传感器的电熔增材构件表面三维重构研究[D]. 哈尔滨工业大学，2017.

[59] 潘杨杰. 基于视觉多传感器融合的室内移动机器人定位技术研究[D]. 浙江大学，2019.

[60] 刘俞廷. 智能机器人的现状及发展[J]. 中国新技术新产品，2018(04):123-124.

[61] 刘金会，郝静如. 自主移动机器人导航定位技术研究初探[J]. 传感器世界，2005(01):23-26.

[62] 刘金会，郝静如. 液下搅拌机器人的超声波导航定位研究[J]. 传感器技术，2004(12):7-9.

[63] 孙承庭，胡平. 智能移动式水果采摘机器人设计——基于机器视觉技术[J]. 农机化研究，2016,38(08):179-183.

[64] 付根平，张世昂，朱立学. 农业科技展览馆智能服务机器人的方案设计[J]. 现代农业装备，2018(05):56-62.

[65] 戴博，肖晓明，蔡自兴. 移动机器人路径规划技术的研究现状与展望[J]. 控制工程，2005(03):198-202.

[66] 耿艳萍. 浅谈人脸识别技术及其应用[J]. 科学之友，2011(07):131-133.

[67] 蔡敏. 嵌入式智能机器人路径规划应用[J]. 中国新通信，2018,20(24):117-118.

[68] 曹培杰. 智慧教育:人工智能时代的教育变革[J]. 教育研究，2018,39(08):121-128.

[69] 夏伟亮. 关于人工智能安全问题的相关探讨[J]. 信息与电脑（理论版），2018(13):126-127.

[70] 牛静，侯京南. 基于人工智能的换脸视频伦理问题探讨[J]. 青年记者，2019(15):89-90.

[71] 高湘泽. 责任伦理：现代社会伦理精神的必然诉求[C]. 中国伦理学会、陕西师范大学、陕西省伦理学会. 传统伦理与现代社会——第 15 次中韩伦理学国际讨论会论文汇编（三）. 中国伦理学会、陕西师范大学、陕西省伦理学会:中国伦理学会，2007:42-46.

[72] 蒋永福. 论图书馆员伦理——基于责任伦理和为他责任的思考[J]. 大学图书馆学报，2009，27(03):2-5+10.

[73] 鲍磊. 当前我国科技风险规制存在的问题与对策研究[J]. 科技管理研究，2009，29(11):60-62.

读者调查表

尊敬的读者：

自电子工业出版社工业技术分社开展读者调查活动以来，收到来自全国各地众多读者的积极反馈，他们除了褒奖我们所出版图书的优点外，也很客观地指出需要改进的地方。读者对我们工作的支持与关爱，将促进我们为您提供更优秀的图书。您可以填写下表寄给我们（北京市丰台区金家村 288#华信大厦电子工业出版社工业技术分社　邮编：100036），也可以给我们电话，反馈您的建议。我们将从中评出热心读者若干名，赠送我们出版的图书。谢谢您对我们工作的支持！

姓名：________　　性别：☐男　☐女

年龄：________　　职业：________

电话（手机）：______________ E-mail：____________________

传真：______________________ 通信地址：___________________

邮编：_________________

1. 影响您购买同类图书因素（可多选）：

☐封面封底　☐价格　☐内容提要、前言和目录

☐书评广告　☐出版社名声

☐作者名声　☐正文内容　☐其他__________________________

2. 您对本图书的满意度：

从技术角度　☐很满意　☐比较满意

☐一般　☐较不满意　☐不满意

从文字角度　☐很满意　☐比较满意　☐一般

☐较不满意　☐不满意

从排版、封面设计角度　☐很满意　☐比较满意

☐一般　☐较不满意　☐不满意

3. 您选购了我们哪些图书？主要用途？

____

4. 您最喜欢我们出版的哪本图书？请说明理由。

____

5. 目前教学您使用的是哪本教材？（请说明书名、作者、出版年、定价、出版社），有何优缺点？

____

6. 您的相关专业领域中所涉及的新专业、新技术包括：

____

7. 您感兴趣或希望增加的图书选题有：

____

8. 您所教课程主要参考书？请说明书名、作者、出版年、定价、出版社。

____

邮寄地址：北京市丰台区金家村288#华信大厦电子工业出版社工业技术分社

邮　编：100036

电　话：010-88254479　E-mail：lzhmails@phei. com. cn

微 信 ID：lzhairs

联 系 人：刘志红

电子工业出版社编著书籍推荐表

<table>
<tr><td>姓名</td><td></td><td>性别</td><td></td><td>出生
年月</td><td></td><td>职称/职务</td><td></td></tr>
<tr><td>单位</td><td colspan="7"></td></tr>
<tr><td>专业</td><td></td><td></td><td></td><td>E-mail</td><td></td><td></td><td></td></tr>
<tr><td>通信地址</td><td colspan="7"></td></tr>
<tr><td>联系电话</td><td></td><td></td><td></td><td colspan="2">研究方向及
教学科目</td><td></td><td></td></tr>
<tr><td colspan="8">个人简历（毕业院校、专业、从事过的以及正在从事的项目、发表过的论文）</td></tr>
<tr><td colspan="8">您近期的写作计划：

您推荐的国外原版图书：

您认为目前市场上最缺乏的图书及类型：</td></tr>
</table>

邮寄地址：北京市丰台区金家村 288#华信大厦电子工业出版社工业技术分社

邮　　编：100036

电　　话：010-88254479　E-mail：lzhmails@phei. com. cn

微 信 ID：lzhairs

联 系 人：刘志红

反侵权盗版声明

电子工业出版社依法对本作品享有专有出版权。任何未经权利人书面许可，复制、销售或通过信息网络传播本作品的行为；歪曲、篡改、剽窃本作品的行为，均违反《中华人民共和国著作权法》，其行为人应承担相应的民事责任和行政责任，构成犯罪的，将被依法追究刑事责任。

为了维护市场秩序，保护权利人的合法权益，我社将依法查处和打击侵权盗版的单位和个人。欢迎社会各界人士积极举报侵权盗版行为，本社将奖励举报有功人员，并保证举报人的信息不被泄露。

举报电话：（010）88254396；（010）88258888

传　　真：（010）88254397

E-mail：　dbqq@phei. com. cn

通信地址：北京市万寿路 173 信箱

电子工业出版社总编办公室

邮　　编：100036

英特尔®FPGA中国创新中心系列丛书

人工智能基础

马飒飒 张 磊 张 瑞 韩 宁 | 编著

電子工業出版社
Publishing House of Electronics Industry
北京 • BEIJING

内 容 简 介

本书主要介绍人工智能的发展历史、基本概念、技术基础及实际应用，从数学基础、编程基础及控制基础等方面进行阐述，使学生理解人工智能的基本原理，特别是数据、算法及应用之间的相互关系。本书包括绪论、人工智能数学基础、人工智能通信技术、智能控制、深度学习、智能机器人、人工智能伦理和人工智能创新创业应用共 8 章，力争通过由浅入深的讲解和大量的实例帮助读者快速掌握人工智能技术的具体应用方法。

本书内容既适合控制相关专业人员，也适合非控制相关专业人员阅读。本书可以作为高校理工科学生学习人工智能技术课程的入门教材。

未经许可，不得以任何方式复制或抄袭本书之部分或全部内容。
版权所有，侵权必究。

图书在版编目（CIP）数据

人工智能基础 / 马飒飒等编著. —北京：电子工业出版社，2020.3
（英特尔® FPGA 中国创新中心系列丛书）

ISBN 978-7-121-38172-0

Ⅰ. ①人… Ⅱ. ①马… Ⅲ. ①人工智能 Ⅳ. ①TP18

中国版本图书馆 CIP 数据核字（2019）第 290018 号

责任编辑：刘志红（lzhmails@phei.com.cn）　　特约编辑：宋兆武
印　　刷：北京虎彩文化传播有限公司
装　　订：北京虎彩文化传播有限公司
出版发行：电子工业出版社
　　　　　北京市海淀区万寿路 173 信箱　邮编　100036
开　　本：787×980　1/16　印张：15.5　字数：347.2 千字
版　　次：2020 年 3 月第 1 版
印　　次：2021 年 8 月第 2 次印刷
定　　价：89.80 元

凡所购买电子工业出版社图书有缺损问题，请向购买书店调换。若书店售缺，请与本社发行部联系，联系及邮购电话：（010）88254888，88258888。

质量投诉请发邮件至 zlts@phei.com.cn，盗版侵权举报请发邮件至 dbqq@phei.com.cn。

本书咨询联系方式：（010）88254479，lzhmails@phei.com.cn。